大展好書　好書大展
品嘗好書　冠群可期

大展好書　好書大展
品嘗好書　冠群可期

社會人智囊
50

提升腦力超速讀術

齊藤英治／著
劉小惠
李玉瓊／譯

大展出版社有限公司

序章

⊙以〈一個月速讀五十本〉爲「大競爭時代」＝「大學習時代」做準備

現在我國，不，應該說世界已經進入一個「大競爭時代」。看似即將追上先進國家的腳步，卻突然停滯了下來，再加上NIES・ASEAN、中國等新興諸國急起直追，因此，許多低價商品成為武器進入國內市場。再加上EU的統合等，世界上以北美、歐洲、亞洲、日本這四極形成一個大競爭時代。

不只是世界上各地區或國家之間的問題而已，當然在其中的各企業，以及在企業中工作的上班族，同樣也捲入大競爭的漩渦中。

例如在企業內，像日本有「傳統的」終身雇用、依年資晉升、偏重學歷等現象，不過現在已經開始瓦解。一旦進入某公司就職，只要不犯錯，則薪水和職位會逐漸提升，一生過著安泰的生活——這種夢想已經破碎了。

使自己殘存下來，獲得勝利的方法只有一個，就是個人必須學習磨練自己的能力。大家都了解這是唯一的方法！

也就是說，「大學習時代」已經到來。對於消極的人而言是很糟糕的時代，但是對於積極充滿幹勁的人而言，卻是機會到來的時代。

到底該學什麼？應該如何學習呢？有報紙、電視、學校、人脈等各種方法，最適合發揮個人才能的，就是利用活字的自我學習。因為最熟練的專家會藉由鮮明的文書情報的型態，表現各主題的智慧結晶。

而且，主題會配合個人的興趣和水準，以書本或雜誌等美麗的型態準備了幾百萬種（本）。也就是說，讀書不光是大衆傳播媒體或好像上課似地劃一教育，而是藉由選擇適當的書籍、雜誌，配合個人的才能和水準，以磨練個人的才能及能力最好的自我教育法。

如果想殘存於大競爭時代＝大學習時代中，最好的方法就是利用書籍和雜誌學習，那麼在這種學習中該如何獲勝呢？當然，「短時間內迅速看很多書」是秘訣。而且能正確了解書的內容，自然就能提升實績，否則毫無意義。

提供各位讀者最好的方法，希望各位能在現代生存競爭中獲勝，這是本書的目的。

重點如下：

戰勝大競爭時代的方法↓優良的讀書習慣↓速讀、速寫、速實績↓一個月五十本速讀術

◉速讀法如無速解力與實績則毫無意義

筆者三十多年來，過著忙碌的一般生意人生活，結果發現心靈枯涸，有一種危機感，因此尋求能夠豐富心靈的有效讀書法。八年前建立了本書的架構，也就是速讀理論，出版品有『一個月讀五十本書的速讀術』。幸獲好評，各報章雜誌爭相報導，成為暢銷書，因而倍感光榮。

本書是根據我在八年內持續一個月五十本的速讀的實踐經驗與研究，而寫下的更多新的速讀技巧，因此是最新的研究成果，並且將前著大幅度修改、更新，在此公諸於世。希望對於想在短期間內看很多書、想得到豐富情報和知識的人有所幫助。

速讀法不光是閱讀的速度很重要，也必須具有速解力和實績，否則根本沒有意義。關於這一點，我實行一個月速讀五十本的書，發現了令自己也感

到驚訝的各種成果。例如，我原本是一個平凡的生意人，但是在這八年內以我的中心主題「健康與效率」為核心，出版了十一本各方面的著書。一年出版一本以上。

本書由以下四章所構成。

第一章（理論篇）是將世界上最強的日本的QC（品質管理）技術應用在智慧的生產閱讀上，我在最近八年內一個月閱讀五十本的實踐經驗獲得的技巧，整理為十項速讀理論，為各位敘述。

第二章（應用篇）是敘述在情報先進國家個人競爭激烈的美國，歷代總統及商業菁英人士在大學時代或畢業後，學習了有助於生意的實戰速讀術，加以整理應用而成的十項歐美式速讀技術。這是為了補強所謂右腦式速讀的「閱讀速度很快，但是速解力、實戰較弱」的弱點而寫的。

第三章（實踐篇）由在智慧工作上展現優秀實績的立花隆等著名知識人物登場，分析其閱讀、速讀技術，闡述秘訣，讓所有人都能應用，展現實績。此外，在忙碌的商業社會中生活，為各位敘述只是利用通勤時間等短暫時間，就能夠完成一個月五十本速讀達成法的技巧。

第四章（訓練篇）是為了讓各位熟悉前述第一～三章的理論、各種速讀技能，因此利用各種文章實際進行訓練。此外，速讀是一種高度智慧作業，因而身心必須準備、調整到最佳狀態，所以我也想出了腦內革新、活性化訓練法。

本書的最大特點，就是以科學的方式，分析速讀這種頭腦作業，從初步到高級為止，共有十二種基本型。以循序漸近的方式，讓大家自然熟悉。

利用上述四章，任何人都能以一個月五十本為目標，對於自己想看的書可以迅速閱讀，同時能正確了解，透過速讀的閱讀，吸收更豐富、更有益的情報知識，並希望能藉此展現具體的成果。

⊙一個月速讀五十本的優點

一個月速讀五十本的閱讀法，是我獨自開發實踐的方法，到現在為止已經八年了。利用速讀法所得到的恩惠和利益真是深不可測。即使如平凡生意人的我，藉由一個月看五十本書，頭腦能夠吸收更多新的情報和知識，開發了以往沈睡的潛在能力，這個實績令人驚訝！

在生意方面的成果，就是產生各種企畫、論文和新製品等，大家都了解的具體成果，就是著書的出版。很多人可能一生只想出一本書當成自己成果的結晶。但是通過出版社嚴格的編輯會議是最難的一關。

而我藉由一個月持續速讀五十本書之賜，這八年來雖然身為生意人，並非專業的作家，卻擁有十一本著書，這是以前平凡的我根本沒有想過的。

而且，我的著書不只是速讀法的書，配合個人的興趣，像能力開發、醫學、健康、營養學、心理學、壓力對策、自我實現、預測未來、文字處理機/個人電腦速打法……種類很多。

這都是藉由一個月閱讀五十本書，以感興趣（專門）範圍為主，腦中吸收了許多廣泛的知識，在腦內產生異種結合，陸續產生新的企畫和智慧所致。

我在最初的書『一個月閱讀五十本速讀術』中敘述的話，我覺得已經陸續實踐了。

「一個月看二、三本書的人——專精於自己及自己的工作

一個月看十本書的人——自己的工作和公司的事情都能考慮到

一個月看五十本書的人——自己的事情、公司的工作，以及社會、國家、整個世界的事都能加以思考。」

最重要的是，藉由一個月速讀五十本書，獲得廣泛的情報知識以及知識的結合，不僅能夠增大朝外的輸出，同時在體內也會產生變化。尤其是腦內的改變。從許多偉大賢人所寫的書籍中，吸收了良質的智慧，能夠將視野擴展到整個世界，產生積極的思考方式，對於人生的目標和夢想也會變得更明確。

藉此之賜，能夠飛躍地提升自己的生活品質（QOL）。藉由閱讀能夠獲得各種身心的健康醫學知識，就能過著健康充實的生活，追求自我的實現。

今後的大競爭時代，是大家必須磨練自己的知識的大學習時代，這個時代即將到來，為了做好準備，必須利用一個月看五十本書的速讀法，當成一大武器，這是我的實際感受。希望我花了五十多年而得到的技巧，能與閱讀本書的人分享。

◉速讀增加企畫力與獨創力，建立良好的人際關係

上班族進入公司後，最初可能會看自己喜歡的書，也就是說可能只會看

與工作有關的書籍，或是相關的專門書籍。

但是，逐漸累積經驗，擁有下屬，與同事和上司的交際範圍擴大（不只是直接的上司，也有與其他公司的重要幹部或負責人等接觸的機會。尤其是因為營業的關係，而與客戶有直接關係），因此，光憑生意書或專門書籍已經不夠了。能夠了解廣泛知識、教養、人類心靈微妙變化的人，與不了解的人之間，對於自己的評價會產生很大的差距。

不論是做生意的對象或上司，懇談時為了應付所有的話題，必須具備廣泛的知識及個人的哲學修養。如果某人具有非常好的教養和知識，不僅會令上司刮目相看，同時部屬也會跟隨著你。

相反地，如果不了解人心的奧妙，可能會令客戶或上司討厭，失去重要的生意或機會。另一方面，藉由精神力、倫理力或法律知識等，能夠避免生意上違反法律的危險。

聽說國人和外國人士交談時，會談一些生意上的話題，因此被暗地裡批評為沒有教養。而外國的生意人中，很多人在文學、歷史、興趣等方面都具有一定的教養，所以有很多話題。

和外國人交談時，如果能夠配合對方的興趣，不論是討論人性、環境或歷史等，可以連續談好幾個小時的話，就不會被輕視為沒有知識的人，反而能夠得到對方的信賴。今後，隨著國際化時代的來臨，擁有更廣泛、更深入的教養是必要的。

此外，當新製品、新技術、新企畫提出時，隨著無界限化的進行，今後工作的界限也會擴散，變得不明確，因此，如果只擁有某個專門範圍知識的人，只能形成不平衡的想法和企畫，無法適用於現在這個社會。

以自己感興趣的主題為核心，還要累積廣泛的知識和教養，才能產生適用於新時代獨創的企畫。

現代已經是一個軟體時代、心靈豐富的時代——如果只埋頭苦幹於自己的工作範圍內，則對於本人或公司而言，都是危險的道路。

今後，要以自己的工作和感興趣的範圍為主，累積廣泛的知識與教養，這是絕對必要的。只有這種人才能夠建立能活躍於新時代的穩固基礎。當然，也才能擁有新時代所需要的企畫力、獨創力，或是人際關係力。本書中所介紹的一個月五十本速讀法，能成為建立基礎的強力武器，對你有所幫助。

因此，本書中介紹歐美式的速讀法時，雖然主要是參考紐約大學教育學部教授尼拉・班敦・史密斯博士的著書『Speed Reading Made Easy』，但是，也根據我的實踐速讀經驗，改良成適合忙碌的上班族和學生閱讀的書籍。

最後，感謝在我執筆期間一直給我寶貴意見、不斷鼓勵我的石井文雄先生。

齊藤英治

目錄

第2章 應用篇 Application
收集美日速讀技術的菁華，達成一個月速讀五十本書的目標

第3章 實踐篇 Practice
從展現實績的智慧工作高手處偷取速讀的秘訣

第4章 訓練篇 Taining

一日三十分鐘，一個月可以讀五十本書

A・基本技能訓練——學習加快讀書速度、提高理解力的基本技能

附章 「一個月速讀五十本」訓練教材

A——基本技能訓練的教材

B——基礎訓練的教材

C 應用訓練各級閱讀法的教材閱讀

第1章

理論篇

Theory

將日本感到驕傲的QC（品質管理）技術導入速讀中

◉對應速變的現代情報構造的「速讀」

現代的情報構造逐年產生顯著的變化。基本上，是因爲科學（自然科學、社會科學）的進步、發展、專門化導致情報量激增所致，個人卻需要努力應付。

具體例就是與出版有關的問題。根據記錄，一年內出版的新書有十多億本。以一週計算有一千多本，也就是說，每天有一百多本新書出版。

而雜誌方面，不論是週刊或月刊，每週或每月定期出版了四千種左右。

如果以以往的舊式讀書法閱讀，一週只能看完一～二本。每週出版的新書中，只能看五百～一千分之一而已。剩下的百分之九十九的書都會被忽略。

除了新出版的書，加上到前年度爲止出版的書，書物的數目可增加到數百倍。各圖書館中的藏書量有些達數百萬本以上，由此可知書本的數量非常多，所以我們一生中能夠看完的書實在是太少了。

最近，各種擁有非常多書籍的中到大型書店出現了。

這個現狀，表示在龐大的出版點數中，至少用舊時代讀書法，已經沒有辦法讓人滿足地閱讀，自己想讀的書不會被忽略了。

再加上大衆傳播及多媒體的發展，使得情報量顯著增加。光是看電視，我們可

在瞬息萬變的現代情報構造中獲得最後勝利的方法是……

以了解專家的意見或對談，藉由網路或個人電腦的通信，也能在瞬間收集到必要的世界情報。

但是，即使處在這種時代中，書籍在專門性、選擇性、一覽性方面，仍是最優良的情報媒體。因此，最重要的是，不慌不忙地配合現代激變的情報構造，改變閱讀的型態。

由於科學技術的進步，對於情報的變化也要以科學技術的進步對應，因此我導入日本值得驕傲的QC（品質管理）技術來閱讀，所以發表了『一個月閱讀五十本速讀術』。後來又繼續實踐一個月五十本速讀術，由經驗中加以大幅度改良。

此外，還要強化右腦與左腦的連動。

爲了能充分忍耐智慧的實務，所以也大幅

度導入情報先進國美國所進行的速讀技術。

美國的醫生、律師、研究技術者或優秀的上班族，在大學就讀時或畢業後學習速讀已經成爲一般的常識了。像這種美國的實踐速讀法，是以在理論、實踐面非常優良的紐約大學方式等爲主，而我將其應用在本書中。

由這些經緯，各位可以了解，爲了應付時代的變化而產生之本書的速讀法，在社會的大變化中，對於需要許多情報、知識、忙碌的國內智慧作業者，也就是優秀的上班族或醫生、律師、研究技術者、學生等各方面的人而言都有幫助。

⊙由「速讀求道史」進化到〈一個月速讀五十本〉

以下稍微回顧我的「速讀求道史」，這麼一來各位就可以了解「我的速讀方法的進化」經緯。

我是一位很喜歡看書的青年，成爲上班族之後，還是想閱讀知識與智慧的寶庫——書籍。但是，由於商業社會中忙碌的日常業務，使我不能再像學生時代一樣自由地閱讀。閱讀的書大半是乏味的義務般的工作專門書籍，因此，我自然就覺得心靈枯竭。所以，即使生活在忙碌的商業社會中，也希望能在短時間內迅速看許多書——這是我切實的願望，也是永遠的主題。

為了追求這個主題，即使成為上班族之後，直到現在，我經歷了五個階段，不斷地進步。

①無腦（無策）時代（～三十五歲）

不考慮閱讀的方法，只依賴從小學開始的經驗和感覺，在忙碌的時間中，無法看自己想看的書，只能焦躁地閱讀，屬於無策時代。亦即舊時代的閱讀法。

②左腦時代（三十六～四十五歲）

出版了許多閱讀論和速讀的書籍，雖說是速讀，但就是跳讀、斜讀等，利用左腦的閱讀方式，一字一字、一行一行地閱讀。四十歲時工作上的責任加重，而此時書店內書籍的種類很多。雖然必須看很多書，但是看完的書籍數目卻遲遲沒有進展，因而開始焦躁，懷疑這個方法到底好不好。

③右腦時代（四十六歲）

四十六歲時，由韓國的基姆所開發的納入東方精神統一法與呼吸法的右腦速讀術傳入國內，掀起了旋風。於是，我趕緊進入夜間速讀學校接受訓練，知道了突破普通閱讀最高速度一分鐘六百字的方法。甚至取得速讀學校講師的執照。但是，一分鐘一百萬字，十分鐘看完一本書太過於重視速度，卻輕視了理解度的方法並不好，因此我開始摸索實戰的、實用的速讀法。

④全腦時代（四十七歲～五十歲）

當時，我在公司接受品質管理（QC）的徹底教育，負責公司內製品品質管理的我，突然想到大量製品必須以高品質管理處理的品質管理技術，應該可以應用在閱讀上。如果以高品質（高理解度）來處理大量的書籍（情報），應該與QC的原理是相同的。於是將日本值得驕傲的QC技術導入閱讀中，不只是速度，也加深了理解力，終於能在實戰上使用，確立『一個月閱讀五十本速讀術』的原型，並出版了這本書。

⑤腦內革新時代（五十一歲～現在）

最重要的是一個月看五十本書，持續一個月看五十本書的閱讀習慣，由許多書中將更廣泛的情報、知識、智慧等輸入頭腦中，消化成熟之後，自己產生了「腦內革新」。

也就是說，其成果（輸出）陸續產生，在公司中一年出一本自己的著作，當成新製品的提案、新企畫、論文等的集大成者，而且也完成多方面的十一本著書。

在這段期間內，我了解到用國內的速讀術很難應付的商業用，實踐、實用右腦與左腦連動的速度與理解，兩者都加以重視的實戰美國式大學式速讀法，於是我加以學習，補強以往速讀的弱點。

而且，基於我對腦的研究，在銷售量達三百萬部的春山茂雄的『腦內革命』一書出版的前幾年，我曾出版過同樣內容的拙著『右腦力量強化術』，基於這些研究成果，開發了讓自己閱讀最需要、最喜歡的書，使得腦內荷爾蒙湧現，增加閱讀速度與理解力的（腦內革新閱讀術）。在許多方面得到收穫，確立了超速讀法。

因而完成了一個月閱讀五十本書，速度、理解、實績三要素具備的速讀法——亦即本書。

「一個月讀五十本」的十大速讀理論、法則

經過數十年的速讀求道，我所獲得的理論、速讀的法則，整理為十條。介紹如

下，供各位參考。

⊙速讀理論①——QC重點管理的法則（二八法則）的應用

速讀的第一要訣，就是QC（品質管理）中的重要方式，它是帕雷特法則的應用。帕雷特法則是義大利的經濟學家帕雷特所發現的法則，也就是說全體國民中二成擁有國家八成的財富。

這不僅在經濟學的範圍，在各範圍都是可以適用的法則，而且是實際證明的事實。例如在營業方面ABC分析就是「營業額排名在上位貨品的二成占了八成的營業額」的公式，不必管在下位的八成，而只要在上位的二成進行重點的管理培養，就可以省下很多時間和工夫，而且能提升成績。

在生產或品質管理的範圍也可以應用。在品質管理方面「問題點占上位的二成造成了不良形成原因的八成」，這個法則就是說，只要徹底了解在上位二成的問題點，就能夠有效改善品質。

在日本QC的範圍，也可以應用在重點檢查及抽樣調查等方面，因此才能使日本製造出堪稱世界之冠、品質優良的製品。

品質管理上由全數檢查到抽樣調查方式，不必一一檢查龐大數目的製品，否則會耗費太多的時間與工夫，反而無法完全檢查。因此，在品質管理上利用這個法則，能將重點置於二成或百分之一上進行管理，藉由徹底的實驗發現改善點，提升全體品質的方式，使得日本製品的品質提升了。

當時我在某大製藥公司擔任品質管理的課長，我想不只是藥品可以進行品質管理，在讀書的技術上也可以應用這個法則。也就是，「在二成的書中含有自己所需要的八成情報」提出了這個公式。

相信很多有過閱讀經驗的人都知道，書中自己想要知道的重要情報不會平均分散在每一頁。會配合當時的需要，在書中某一部分擁有自己想要的情報，所需要的和不需要的情報一定會混合在同一本書中。

即使閱讀同一本書，一定會發現深有同感的一部分，或是相反的部分。尤其在現代，經由大眾傳播媒體傳送的情報非常多，所以我們可以經由電視、報紙或閱讀的書籍了解一些情報。

也就是說，如果將書中的情報模型化，就會發現對於現在的自己最需要的情報A占了二成，而自己所不需要的情報B，或已經知道的情報C，或是目前不需要的情報D，還有對自己有害的情報E等，也混合在書中，形成剩下的八成。

因此，從書中巧妙地選出自己所需要的情報A，就能以以往的五分之一的時間，即五倍的速度得到所需情報的八成。

假設花了十成的時間，想要完善地獲得十成的內容，結果多使用的八成時間的勞力，也只能得到二成的內容而已，會造成很大的損失。也就是說，即使花了很多時間想達成十成的目標，但是中途可能會中斷，或是有雜事而無法完全達到效果。

這個二八法則不只是光在一本書中比較，可應用在許多範圍。例如，要從許多書中選擇自己所必要的情報時，假設有十本書，那麼挑選其中二本重要的書，就能得到所需情報的八成。

十頁中只看重要的二頁。同一頁中看其中的二成，就可得到此頁所需情報的八成……。

如果必須處理十件工作，只要做其中重要的二件工作，則八成的問題都能解決了。有十位客人時，只要將其中的目標對準重要的二位客人就可以了。

因此，在各範圍上時間可以節省爲只需要五分之一的時間。也就是說，能成爲五倍的處理速度。剩餘的時間可以做自己想做的事情，更能擁有充裕的時間。

這就和人生的效率基本法則一樣。看看周圍，每個人每天追著時間跑，只注意無聊的事情，過著焦躁的生活，而有的人雖然完成許多工作，但仍能擁有餘裕，過著充實的生活。像後者擁有餘力的人，可能是在無意識中知道這個重要法則吧！

大家一定要記住這個「二成中有八成」的重要法則。在本書的最後一章中，爲各位準備了將這個重要法則融入潛在意識中的重要訓練。

利用本書速讀法的訓練所培養的重要法則，不只運用在閱讀上，在人生各方面都可以運用，就可以使你的人生效率提升五倍，使你擁有充裕的時間開創更豐富的人生。

當然，這個法則並不適用於不需要擔心時間、必須享受氣氛欣賞的文章或小說等。這類作品必須利用多餘的時間慢慢享受。

◉速讀理論②

——納入世界最強的有效生產方式「豐田看板方式」

我能持續實行先前敘述的一個月看五十本書的方法，除了利用前述的二八法則外，還有另外一大支柱。也就是，堪稱有高品質日本車的代表廠商，豐田汽車的世界最強之效率生產方式「豐田看板方式」，我也將此法納入閱讀中。

也就是說，汽車的零件廠商將目標和交貨期揭示在看板上。因爲要將零件交貨給豐田工廠，因此必須確實遵守看板上所標示的交貨期。如果應用在閱讀上，則必須下意識設定明確的目標（一本書或幾頁等的讀書量）及交貨期（閱讀時間），使得頭腦和閱讀所需要的身體各機能（零件）同時總動員，集中精神，提升最大效率。

最重要的是，必須設定明確的目標，時間的測量方式從普遍的鐘錶等切換爲逆算計時方式。

也就是說，普通的閱讀是一種停止計時式，從最初一頁開始閱讀，到下一頁，然後看到最後一頁爲止，到底需要花幾分鐘的時間。這個想法，對於想將重要書籍的內容當成自己精神、思想骨骼的一部分，想要熟讀、精讀，從最初看到最後的書而言，是必要的方法。

但是，並不見得所有的書籍都是如此，有些書籍只是用來當成情報、想法、技術、知識而已，這時的有利武器就是逆算計時方式。也就是，好像計時器一樣，明確地訂出具有何種目的（看到幾頁，想知道何種主題），設定交貨期（看幾分鐘或幾小時），在最初設定的時間範圍內，閱讀目標之頁數的方式。

逆算計時方式到底有什麼優點，就是在一定的時間內，決定明確的目標，知道自己到底要看幾頁，這麼一來，就可以配合自由設定的閱讀速度及閱讀的深度。

換言之，在書還沒有看完之前到底花了幾小時並不重要，重點是想要花多少時間看這本書，將想法進行一個相反的切換。藉此能使腦和身體朝向目標全力以赴，充分運轉，在既定的時間內，不使書中所有的情報逃脫，因此，自然就能培養迅速正確的

從10本書中找出2本書，利用「看板方式」讀完

閱讀方式。

讓作業趕得上交貨期，和豐田看板方式的想法相同。利用這種方式，就可以產生一種這本書需要花多少時間，或是花這麼多時間能夠看完這本書的主體想法，不必拖拖拉拉地看一本書，形成要看到何時爲止的正確計畫性，自然就能消除累積閱讀的習慣。

就好像豐田看板方式一樣，當目標的書看完後，繼續看下一本書，可以配合正確的交貨期達成計畫。

主要目標是要趕得上交貨期，因而在時間預算的範圍內，當然就要提升閱讀的速度，不重要的部分省略不看——進行重點閱讀。

此外，也能使眼睛和頭腦敏銳移動，

加快速度，自然就能增加閱讀的速度。

自己明確設定目標和交貨期，比起隨便翻閱而言，能使速度更快。不只是閱讀，也是適用於工作和人生的有效重要法則。

⊙速讀理論③——從數字（直列）閱讀變成羅盤（並列）閱讀

到目前爲止所敘述的閱讀理論①「在二成中有八成」＝帕雷特法則的適用，及提高其效率的閱讀理論②「從計時閱讀變成定時閱讀」——只要實行這二種新方式，雖然你只看了全體的二成內容，但是卻能成爲以前五倍的閱讀速度。

但是，光是這樣不算是眞正的速讀。還有一個能夠活用右腦的強力速讀技術。就是從「數字閱讀」蛻變爲「模擬閱讀」。如果熟悉這個技巧，能夠提升二倍以上的速度，這麼一來，就能變成五×二＝十倍以上的閱讀速度。

接下來說明活用右腦的模擬閱讀。

我就讀小學時，不論是國語課本的朗讀或唱歌等，必須了解每一個字，了解其內容並用語言表現出來。等到長大成人後，雖然有些進步，但是還是無法改掉這種習慣。即使未實際發出聲音唸書，但是在心中卻不斷將每個字轉換爲音（語言）才能了解，這就是所謂的「默讀」。

但是，用這個方法發現像電視節目的主持人說話很快的最高速度，一分鐘也不會超過六百字（音速）。不論是音讀或默讀，都會轉換為說話時語言的音，才能了解。這種閱讀方式是每個字都要轉換為音，因此，屬於數字（直列）處理方式。

以鐘錶而言，就是電子錶。也就是說，表現的時間只是「現在的時刻」而已，而現在的時刻之前（過去）及之後（未來）的時刻都看不到。如果現在是上午九時零分，則看不到九時一分的標示，同時也看不到已經過去的八時五十九分。也就是說，進行一分一分的處理。

但是，羅盤式鐘錶時間為九時零分，可是依長針短針的位置，則不只是現在的時間，到了十點為止還有幾分鐘，從過去到八點為止過了幾分鐘等，在十二小時內，現在的時間位置一目了然。所以數字錶雖然曾流行了一陣子，可是現在已經衰退，而以羅盤式錶為主流。

閱讀的道理也相同。將每一個字變換為音的音讀、默讀等，是以左腦為主的直列處理閱讀方式，如此一來，再快也無法突破一分鐘六百字的「音速」障礙。

但是，如果一眼看到文字集合體，瞬間用右腦想像理解，變為「視讀」，就能輕易突破一分鐘六百字的關卡，而成為「超音速」的閱讀。

這就是以右腦的想像力為主的方法，因此稱為右腦式閱讀。

⊙速讀理論④

——藉由右腦與左腦連動平衡的閱讀達成速讀、速解的目標

右腦速讀的確非常快，國內的速讀術大都以右腦速讀爲主流。重視速度的方法能夠締造出一分鐘看幾萬字的驚人數字，但是反而會輕視理解力，對於優秀的上班族而言，想要實際應用在工作上會造成一些弱點。

優秀的上班族或研究者、技術者、醫生、律師等從事智慧作業的實務工作者，有沒有更好的實踐速讀技術呢？對我本身而言，這的確是非常切實的需要。結果，從這一連串探索中產生的就是重視想像的右腦，以及重視邏輯的左腦的功能加以強化，而形成右腦——左腦的連動平衡。

請看次頁圖，右腦與左腦的功能不同，右腦負責想像與直覺創造力等，左腦則負責文字、邏輯和計算等。追逐每個文字，以理論的方式來思考，這是左腦的功能。

閱讀對人類而言，是最高度綜合的智慧作業，因此不偏重右腦或左腦，而要使用兩邊的腦，也就是說，讓整個大腦順暢連動，綜合發揮作用，才能產生高度的效率。

右腦的記憶容量較大，活用其龐大的潛在能力，就能使左腦的邏輯思考發揮到最大限度。

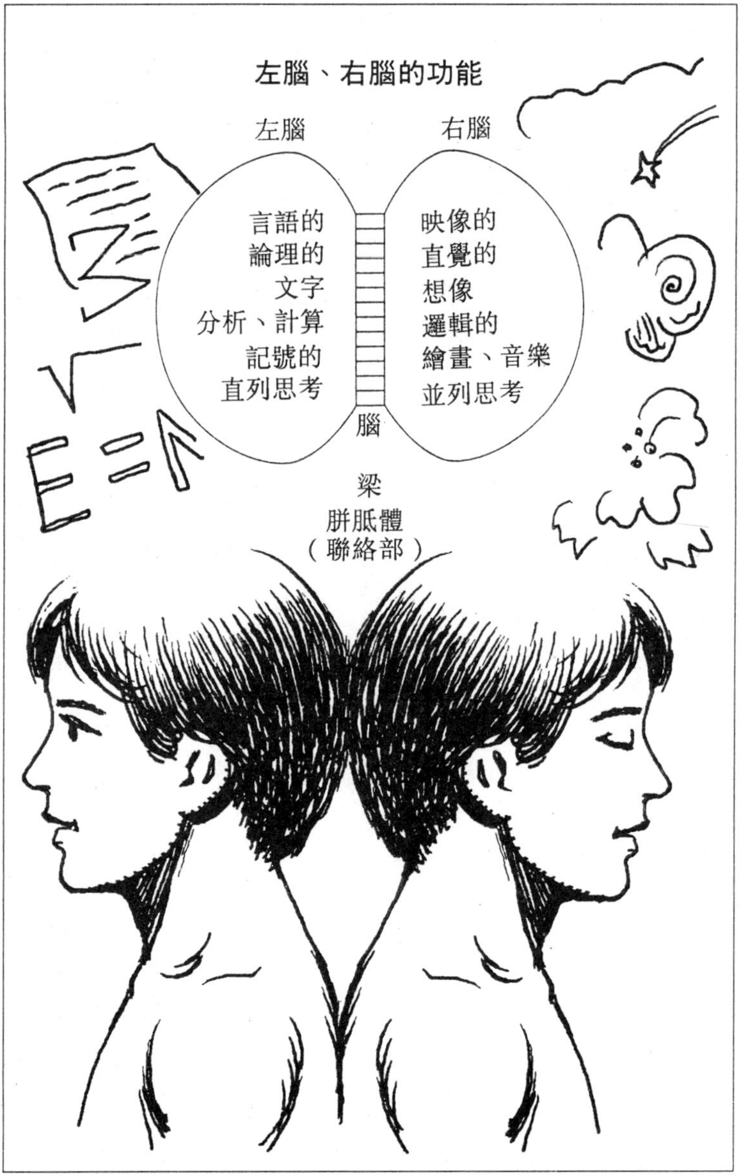

取得左腦、右腦的平衡，才能產生高度效率

因此，本書中除了右腦的活性化訓練之外，還加入使左腦活性化，達成與右腦平衡連動的訓練（一部分如先前所叙述，其他在最後的第四章～附章中刊載）。也就是說，是能夠迅速發揮邏輯解讀力的訓練。尤其是美國的商業英才，在大學中學習了這種實戰的速讀技巧，我將其改良為適合國人使用的技巧，就是因為這是個人在速讀上最缺乏的一點。

這種左腦式的邏輯閱讀，和右腦式的想像瞬間閱讀兩者，在戰略上能夠平衡運用的訓練教材，刊載於本書卷末。

◉速讀理論⑤——視點移動法則是提升速度的閱讀

眼睛位於閱讀這個輸入動作的直接終端處，因此是最重要的部分，而這個動作——視點移動在第四章中詳述，在此只叙述要點。

事實上，人在閱讀時視點移動的情況，經過實驗的結果，發現並不是如我們平常所想的，一邊看著文字一邊移動，而是好像照片或電影的原理一樣，視點（焦點）只集中於某一點，而以這一點的文字為中心，其前後左右全都納入視野中。閱讀就是這種反覆的行為。

這和看周圍的景色等不同，因為文字需要仔細地觀看，所以和照相機同樣地，必須暫時停止視點。也就是說，閱讀時眼睛不像攝影機一樣，而是像照相機一樣，進行連續快拍的活動。

科學是指基於實驗的事實，以此爲基礎而不斷進行進步的研究。如果將先前的實驗觀察的結果列成公式，則成立以下公式：

閱讀的速度＝〔一次停留視點之文字視野的範圍〕÷〔一頁的停留視點的次數〕

小即，爲了提升閱讀速度，只要一次停留視點可以看到的文字視野盡可能擴大範圍，盡量減少一頁的停留視點的次數就可以了。

本書的訓練教材，就是基於這個科學的公式，能夠擴大視野，一次看很多文字，減少每一頁的停留視點次數，循序漸進地提升閱讀速度。

◉速讀理論⑥

——閱讀速度提升的主角不在於眼睛的移動是於心靈的移動

基於我長年的閱讀經驗，我了解到的事實是，能夠進行速讀、速解、眼睛能迅速移動或擴大視野的原動力，並不是眼睛肌肉等的肉體能力，而是心靈（意識）能力的昇華。

一旦弄錯了，就會變成只是訓練眼睛肌肉移動速度的，一連串毫無意義的記號或想像訓練而已，根本無法提升實際成果。

因爲閱讀並不是眼睛等的肉體運動，而是以自己的心靈（意識）爲主體，基本上是一種高度的智慧作業，意識結束一個作業而移到下一個作業時，會透過神經將指示傳達眼睛，眼睛才開始移動。也就是說，自己的心先行。

各位不知道有沒有這種經驗，閱讀自己最感興趣的書籍或是最想看的書籍時，根本忘了時間的存在，能以極快的速度看完。由此可知，當時的閱讀並不只是速度加快，甚至因爲理解加深而眼睛較不容易疲勞。相反地，如果看一些艱澀的書籍或是比較不感興趣的書籍，就會覺得非常乏味，眼睛立刻覺得疲勞，而且閱讀的速度也會減慢。

因此可知，我們無法強迫眼睛移動的速度或是想加快速度。換言之，不要焦躁，每天盡可能蓄積一些好的知識和情報是第一要件。爲了幫助完成第一要件，則需要第二要件，也就是利用各種技術（技巧）。

例如「聞一以知十」，情報知識豐富的人只要聽一句話，就比知識貧乏的人領悟多達幾十倍或幾百倍。舉例來說，像「地球環境」這個詞出現在文章中時，熟悉內容的人與不知道的人，浮現在腦海中的意義會產生很大的變化。

以文章而言，就是關鍵字的羅列，知道許多關鍵字的意義，就能加深閱讀的理解，得以加快閱讀的速度。

因此，情報、知識的蓄積較少的小學生，如果五分鐘可看完一本新書，對此我感到懷疑。雖然翻閱的速度很快，但是否能眞的理解，就不得而知了。

所以，與其競爭閱讀一分鐘能看幾萬字，還不如學習閱讀法的秘訣，每天累積閱讀的技巧，使心靈擁有豐富的情報和知識，才是速讀、速解的捷徑。

⊙速讀理論⑦

——分別使用「閱讀三系列」達成一個月閱讀五十本的目標

我的閱讀，原則上是以「三系列」進行的。藉由這個方法之賜，每個月我能看五十本書，而且擁有豐富的心靈。

第一系列是「速讀系列」，每天十五分鐘，以一本爲單位，一個月看三十本以上的閱讀系列。也就是說，主要是負責「增加閱讀的書籍，增廣閱讀範圍」這個部分。原則上每天在下班途中到書店實行這個方法。如果閱讀的書本數目不夠時，則利用星期六或星期天，前往書店或圖書館繼續閱讀。

第二系列是「精讀系列」，每天花一小時以上，一個月看十～十五本，主要是負責「讀書的深度」這一部分。從第一系列中選購的書，或是平常想要成爲自己想法、骨骼的重要書，必須加以精讀。當然，精讀也必須利用速讀術加快閱讀的速度，此外，依書籍的種類或內容的不同，有時更能提升閱讀的速度。主要是在通勤的車上或書房實行這個方法。

第三系列則是「聽錄音帶閱讀系列」，一個月將五～十本書，看了令眼睛疲勞，無法用普通的閱讀方式看的書籍，利用一些時間改變爲閱讀時間的魔法技術。也就是，利用上班時間或洗臉、洗澡的時候、眼睛想休息時、空閒時，負責「增加閱讀時間、豐富閱讀時間」的任務。主要是聽讓心靈豐富的世界文學等的朗讀錄音帶。

因此，我較容易達成一個月看五十本以上的書籍的目標。

具體實踐方法詳見第三章。

如果要在工作或人生上獲得大收穫，則輸入的知識、情報，必須是寬度×高度×豐富度，越大越好，這樣才能增多輸出（收穫）。我利用這三系列互相彌補缺點，增大寬度、深度、豐富度。第一系列是寬度、第二系列是深度、第三系列是豐富度。

如果深但是範圍狹窄，只是懂得專門的範圍而已，會陷人自我本位主義，產生不適用於世界的構想。如果只是範圍寬，但是沒有深度，非常淺薄時，無法製造出可在市場上競爭的好構想。如果沒有豐富的心靈，就無法產生適用於未來的劃時代構想。

生存於大競爭時代、大學習時代，需要這三要素。尤其在現代這個無界限時代，各種界限都已經消失，國際化與異業種摻入，如果對於自己的專業之外的範圍不具有廣泛的視野，則無法戰勝這一切。

同時，隨著科學技術的發展，各業界的知識更爲專門化、更爲深入，光靠淺薄的知識無法對抗。因此，想在這個激烈競爭的社會中戰勝一切，需要廣、深又豐富的情報。也就是說，在大學習時代所需要的情報就是這三要素。

⊙速讀理論⑧——生命的意義和目標就是加快閱讀速度、增加閱讀量

利用速讀到底要看哪些書呢？其關鍵就在於「感興趣的書」，也就是「自己喜歡、想要知道的書」。爲什麼「一個月要看五十本」呢？我的回答是「希望知道更多自己感興趣的事物」。

不要好像考試用功一樣，勉強自己看一些不喜歡的書。想知道自己的事情、想知道自己生存的世間、想充實自己。就好像身體爲了生存必須透過食物而攝取必要的營養素一樣，湧現食慾時，必須透過閱讀吸收自己的心靈所需要的「心靈營養素」。

正如發育期的兒童或青年產生旺盛的食慾一樣，逐漸成長的心靈也會湧現閱讀慾、知識慾及對事物的好奇心。自然就能加快閱讀的速度、加深理解。這也證明了心靈正在成長。如果失去了這種好奇心，個人的心靈維持現狀時，會逐漸走向老化、衰

退之路。

當然，個人的成長過程和程度不同，因此到底看哪一些書較好，不能一概而論。就好像身體需要水時想喝水一樣，心靈需要書時，只要問心靈就知道需要哪一本書了。因爲這是自己的心靈最需要的東西。

閱讀心靈所需要的書籍，持續輸入必要的知識，累積下來，就能形成只有自己才有，根本無法取代的自己的人格。才能形成一個一生不會老朽的、具有生命意義的人生。

生命的意義會成爲一種推進力，變得更廣、更深，而閱讀也會擴大、深耕。閱讀可以使得自己無可取代的人生變成更深、更廣、更豐富，形成一種良性循環。這就是閱讀的醍醐味。

在這一點上，不只是商業或人材培育的範圍，閱讀也可以說是有效的「優點伸展法」。想要發揮自己喜歡的範圍、拿手的範圍，而形成了生命的意義，以此爲中心而朝周圍擴大，更能夠加快、加多閱讀。

現年五十四歲的三石巖（前日本慶應大學教授），以一生現役主義的想法出版了三百本以上的著書，展現大量成果（輸出），而在『腦細胞復甦』等著書中，他特別強調的是，所謂人類的人生是以「生命意義的有無」來決定。

⊙速讀理論⑨——書籍是心靈的營養，均衡的營養能創造豐富的心靈

次頁表是將身體的營養素與心靈的營養素加以比較。我原本就專攻於身體的營養學，因而以此爲基礎，探討心靈的營養素，成立如表的假設，所以，並沒有經由嚴密的科學檢證。

製作這個表格的目的是，我雖然對於身體的營養素充分研究，但是心靈的營養素，也就是書籍中的情報、知識之研究卻受忽略，因此我認爲欠缺營養的均衡，陷入心理營養不良的人增加，感到非常危險，因此製作了本表。爲了預防這種情形，爲了培養豐富的心靈，所以成立了這個假設，在本書中首次公開這個表。

書中所有的情報、知識，就和食物中的六大營養素一樣，有各種不同的種類，具有各種機能和作用。我們不需要一一探討然後閱讀。但是，這和食物的營養同樣地，有時必須加以區別，聰明地取得平衡，巧妙利用各種營養素的機能，才能使心靈豐富地成長。

當必須的營養素缺乏時，心靈會產生缺乏症，變得貧弱。

因此，就好像探討身體的營養素一樣，也必須充分考慮心靈的營養，這是使自己心靈成長與豐富最重要的一點。

身心營養學

——營養均衡的重要性

項目	身體 從食物等攝取		心靈 從書籍等攝取	
	身體的 營養素	營養素的 主要功能	心靈的 營養素	身心的 營養缺乏症
①	碳水化合物	活動能量	人生的目的是什麼、自己爲何而活——古典、傳記	植物人、倒退症候群
②	蛋白質	身體、細胞的素材	自我實現、專門知識、語學	落後、發育不全
③	脂肪	儲備熱量源	歷史學、政治學、經濟學、語學等	體力、持久力不足，呼吸困難
④	維他命	疾病的預防、增進健康	醫學、健康、危機管理	半病人、免疫不全
⑤	礦物質	活動的順暢化	技巧、報紙雜誌	不定愁訴、慢性疲勞
⑥	纖維質	排泄	表現（書寫、說話、描繪、彈奏等）、詩、歌	便秘、肥胖、異位性皮膚炎
⑦	水	滋潤	文學、興趣	自閉症、憂鬱病

表的詳細說明並不是本書的主題，所以在此省略。

◉速讀理論⑩——只要增加輸入（閱讀量）就能增加輸出（實績）

腦是遠超過最高度電腦的優秀品，就如次頁簡單的模型圖一樣，只要進入的情報量（輸入）增加，則情報同志進行異種結合，就能產生輸出（實績、成果）。比起組合的公式或單純比例而言，可以以幾何級數形成更多的輸出。如果不能展現這種實績的速讀法，不算是眞正的速讀法。

事實上，像我開始速讀以前，一個月會努力讀二～五本書，開發速讀法之後，八年內以一個月看五十本書的速讀經驗產生了令自己都感到驚訝的實績和成果。在公司內新製品企畫的提案件數到目前爲止超過三十種，甚至還出現成爲暢銷製品的新製品。以前沒有想像過的公衆演講，以及醫學會的研究發表和論文、著書等都增加了。

如上所述的，增加成果、實績的第一秘訣，就是利用速讀增加材料，就是輸入情報量。

而第二個秘訣就是，在圖中的黑箱（腦中）創造一個產生輸出最好的環境。也就是說，要創造一個蘊釀成果的環境，使全身的健康狀態良好，才能使腦活動到最大的限度。

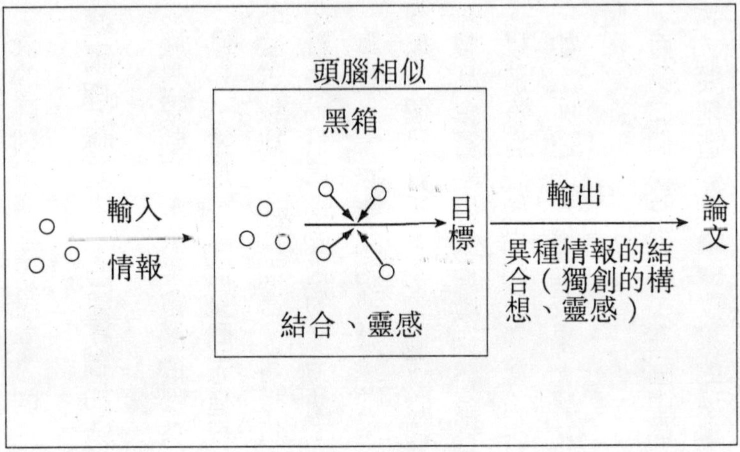

腦電腦的模型圖

從全身到腦，含有具有活力的營養素和氧，不斷送入新鮮的血液，藉此使腦細胞復甦，展現新的活動。

如果過著不規律的生活或飲食，不斷承受壓力，會將污濁的血液或或壓力送入腦細胞，當然無法產生好的成果。

第三個秘訣就是，設定明確的目標。藉此將情報單位聚集在如圖所示的黑箱中，就容易產生結合。並不只是短期的目標而已，也可以擁有一個較高的遠景、理念和人生目標，就能使自己的腦細胞和全身總動員。

尤其是今後要捨棄「只顧自己、只顧眼前、只講賺錢」的想法，而要考慮「爲世界、爲他人自己該盡何種責任」，具有明確的目標，就能展現絕不後悔的確實大成果。

第2章

應用篇
Application

收集美日速讀技術的菁華，達成一個月速讀五十本書的目標

⊙利用歐美的速讀技術，克服日本式右腦速讀的弱點理解力的不足

現在日本的速讀術，是以韓國基姆式速讀術為源流，將重點置於右腦想像力的速讀術，以從事智慧作業的人而言，對於文章的理解力和分析力以及工作的實績面稍嫌不足。

尤其許多的技術者、研究者、商業人士、醫生、律師等，為了在現代各專門範圍有顯著的發展及進步，任何人都想要不斷地急起直追，以趕上他人，因此必須閱讀許多書籍和資料，承受壓力。

況且，成為專業人士，對於專門範圍的書籍一定要正確地閱讀才行。因此，有些人認為「自己與速讀無關，必須每個字精密地閱讀」。但是，這種閱讀方式無法快速閱讀，只會造成必須閱讀的書籍和資料不斷地堆積而已。我想很多人都需要擁有能夠正確、迅速閱讀許多書籍的方法吧！

我持續實行速讀之後，認為需要強化這一點，必須迅速了解許多書，而且需要能提升許多實績的速讀術——像美國的商業英才學習利用的美式實戰速讀技術，我認為應該也適合國人使用。

這個速讀術在美國的大學被當成正規的科目教導，從商業英才到歷代的美國總

統，在實戰上都使用這種速讀技術。從美國取得許多與速讀有關的原著，進行實驗的結果，發現非常具有實用性。尤其現代的情報構造是以西方科學爲基礎，所以，我認爲加以分析的西方科學之分析技法等西式速讀術的導入，是不可或缺的。

因此，我將最新的美式速讀技法改良爲適合國人使用的方法，再加入以往我所開發的成爲日本的驕傲的QC技術及右腦想像技術等加以補強，具備了閱讀速度、理解力、實績力三要素，形成集美日速讀技術菁華之最新、最高的速讀術，這也是本書的執筆動機。

⊙探索歐美速讀的源流——迅速正確地閱讀

首先，探索歐美到現在還使用的速讀法的源流，因而必須提到十七世紀時英國近代文明開化期非常活躍的法蘭西斯·培根。

他是一位政治家（政府高官）、法律家（最高檢察廳長），隨筆作家（著有『隨想錄』）、科學家（著有『學問的進步』），在各方面都有活躍的傑出表現，同時也是偉大的閱讀家。雖然非常忙碌，但他不會花很多時間閱讀，可是他卻能下工夫，有效地閱讀許多書籍，結果締造了許多成果（輸出）。

在他的『隨想錄』中，對於閱讀的工夫有以下的叙述。也可以說是展現成果的實戰速讀術的原點。

「不要相信書而整個去看它。但是，爲了熟考、熟慮可以閱讀。對於某個書籍，只要稍微品嘗即可，也應該品嘗其他的書籍，將這些書籍充分咀嚼消化。

也就是，某些書只看其中一部分，其他書雖然也應該閱讀，可是不必仔細閱讀，只要對於一些書籍傾注熱心閱讀即可。

書中有一些自己可以閱讀的內容，有一些可以從他人那兒得到的菁華部分。」

這番話對於因忙碌、時間不夠而又想要展現許多成果的現代智慧商業英才而言，的確是極富啓示的一番話。

⦿了解歐美速讀技術的發達史

速讀技術有二大主流。也就是在歐美發展的重視速度與理解平衡的速讀法，以及在韓國掀起旋風的重視速度的基姆式右腦想像法等二種速讀法。但是，韓國所產生的一本書花一分鐘看完，太過於重視速度的速讀法，無法產生理解的效果，因此，只是暫時掀起旋風即宣告結束，在該地開始衰退。

但是，歐美系列的速讀法由於重視速度和理解的平衡，尤其在科學技術和商業等的發展、競爭激烈，必須閱讀許多書的範圍中，對於從事智慧作業的人而言，成爲一種實用的速讀法而受到支持，現在在大學中也成爲一種正規的教材。

本章所介紹的方法之一，主要就是將歐美系列的速讀技術，配合國人的思考和語言，加以改良而成的速讀法。概言之，歐美系列的速讀法就是使左腦的理解力、分析力、邏輯構成力發揮作用，分析、要約文章，利用右腦的想像力，整個閱讀文字群和重要語，進而加快速度的技術。也就是說，取得邏輯的左腦與想像的右腦之平衡，使其活潑化，增加速讀和理解力的方法。

這種西方的速讀法，是先前所敘述的法蘭西斯・培根等當初利用個人的技巧發揮的方法，到了西元一八七九年，一位名叫賈巴爾的法國人，爲了研究閱讀時智慧活動的實際，因此注意人眼睛的移動（視點）加以分析，才建立了科學速讀技術發展的基礎。

最初，賈巴爾用肉眼觀察閱讀者眼睛的移動狀態，但是因爲閱讀時眼睛的移動速度太快，因此沒有辦法追蹤。所以和朋友商量，結果朋友卻對他說：「你調查這種事情，根本是沒有意義的。」因爲以往衆人都認爲，閱讀時一定是用眼睛看每一個字而閱讀，這是長久以來的定論、常識。

但是，賈巴爾卻對這個常識感到不滿意，不斷思考是否有觀察閱讀時視點移動的方法，費了一番苦心後，想出了在眼球上安裝一個帶有棒子的石膏製的杯子，同時將大鼓的皮革用煙煤燻黑。讓附著在石膏杯上的棒子尖端每當視點移動時，隨著眼睛的移動而摩擦大鼓皮革的煤灰，這樣就能記錄視點的移動。也就是，像地震儀的指針搖動的記錄一樣。

初期的拓荒者賈巴爾和實驗者都很辛苦，實驗的結果，發現了推翻以往常識的重大線索。就是先前談及的，看書時並非眼睛確認每一個字而閱讀，就好像照相的快拍原理，視點固定在文字列的某個點，閱讀一定的範圍，再移動到下一個視點，閱讀下一個範圍。因此了解了移動視點時是不會閱讀的。

⊙經由實驗了解高明的閱讀者與差勁閱讀者的差距

後來，速讀技術的研究傳到美國，不斷發展，經由照相機和錄影機等，更能確定視點移動的研究。

其中之一就是紐約大學教育學部的尼拉·班敦·史密斯教授的研究，他利用照相機，分析出閱讀視點移動如五十七頁圖所示（根據史密斯教授的原者『Speed Reading

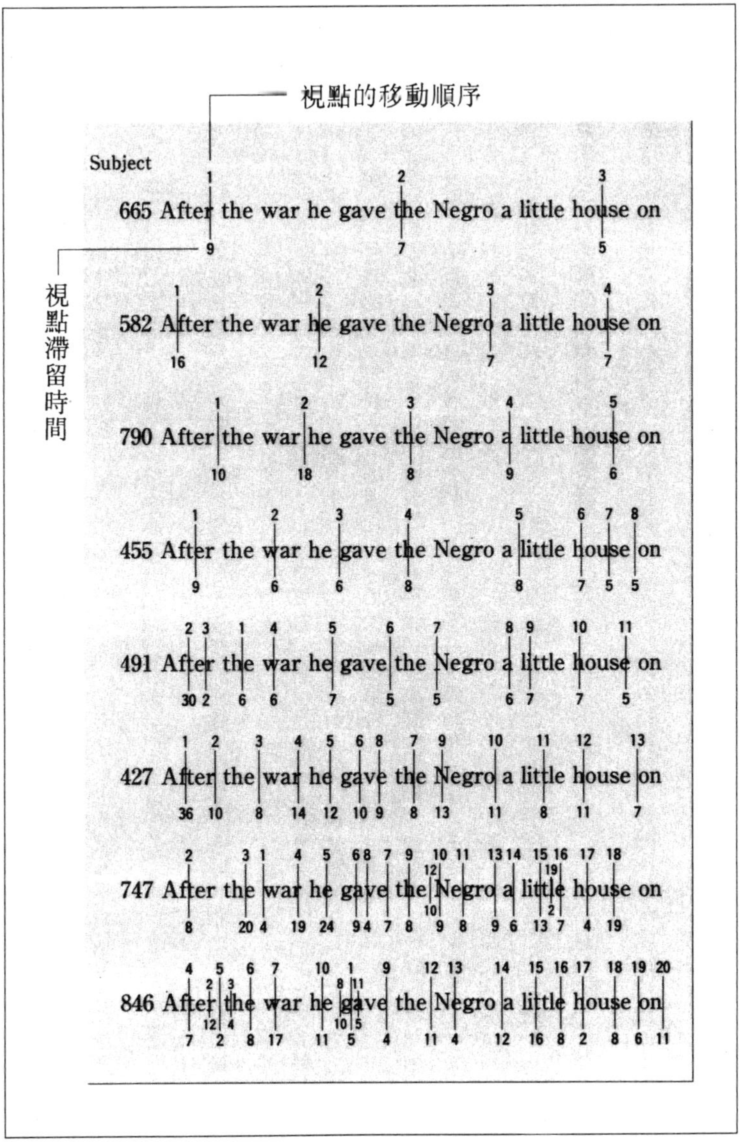

閱讀時視點移動的實驗結果

（根據紐約大學史密斯教授）

Made Easy』）。

圖中左側的數字是參加實驗的閱讀者之編號，各文字中所畫的直線是各視點停留的固定位置，直線上的編號是視點的移動順序，直線下的數字是視點滯留時間（十六分之一秒）。

分析各被實驗者的視點，發現在圖的最上方的閱讀者是最好的閱讀者，他能夠順著文章迅速地閱讀。

好的閱讀者是在圖上方的三人，圖最下方的閱讀者是最差勁的閱讀者，視點頻頻移動，而且視點移動的順序有時會顚倒，或是朝左右飛散、不穩定。

也就是，看圖就可以知道，最好的閱讀者之視點固定次數只有三次，所花的時間最短。相反地，最差勁的閱讀者視點固定次數達二十次，所花的時間最長，與前者相比，差了約十倍。

由這個分析可以了解，好的閱讀者是視點固定次數較少，每一次的視線都很廣泛，也就是說，每一次的視點固定都能廣泛取得有意義的文章單位。

而差勁的閱讀者視點固定的次數較多，一視點的視野狹窄，因此以文字爲單位，只能看一～幾個文字，而且固定點經常來回移動。

⊙某位優秀醫生的煩惱與解決法

某位精神科專門醫生前去拜訪進行這項研究的史密斯教授，說明他的煩惱。我想他的敘述也是許多人共同的煩惱，所以史密斯的回答可供參考，其內容簡要如下：

來找史密斯教授商量的這位醫生專攻精神醫學，當時由於這一方面有顯著的進步及發展，所以他必須閱讀許多書籍和資料，同時又必須要診療自己的患者，無法同時做二件事情，因此，他希望能迅速、正確地閱讀，以了解許多的書，所以找上史密斯教授。

而且以往他爲了擴大固定點的視野，拼命張開眼睛，不斷地加快追逐文字的眼睛移動速度，但是他這麼做卻使心靈受到影響，持續閱讀的結果，眼睛持續緊張，反而使得讀書效率降低、理解力降低。

關於這一點，史密斯教授對該醫生說明。也就是說，閱讀是一種心靈作業（在此是指心靈與意識的智慧作業），絕對不是眼睛肌肉的作業。正如生病一定有原因才會產生症狀一樣，心靈的結果，導致視點的移動頻度、速度及視野的範圍產生變化。

也就是，心靈是原因，而視野和視點的移動是症狀。而視點的移動和視野的寬窄是心靈的結果。所以，即使想要改善末端症狀視野或視點的移動，也沒有辦法治好原因，只會覺得疲累而已。必須由心靈掌握其意義，結果就能使視點的移動迅速，視野擴大，這就是史密斯教授對醫生說明的內容。

即眼睛的移動只是心靈的隨從而已。因而指出對方想要使眼睛迅速移動、想要擴大視野的小技巧，根本就是愚蠢的行爲。這和前章的速讀理論⑥的叙述一樣，心靈要藉由知識的蓄積才能豐富，心靈豐富之後，才能使閱讀的速度迅速、正確。

這對於學習速讀法而言，是非常重要的重點，本書就是要提醒各位不要誤認了這個重點，一定要以正確的步驟進行，如果這個重點錯誤時，則即使再怎麼練習，也無法展現實績與成果。

⊙美國前總統的速讀①——卡特的白宮速讀法

不論在國內或美國，地位越高的人閱讀重要書籍的時間越多，在美國的優秀商業英才，尤其稱爲董事的人，工作時間的四分之三都是浪費在閱讀文件上。

因此，爲了應付這些問題，就必須加快閱讀速度，才能擁有多餘的時間，從事創造性的工作，尤其在競爭激烈的美國，很早就開始研究對於商業有實際幫助的實戰速讀術，而且在大學中或畢業後的商業學校中也教導這些技術。

美國的優秀人士或頂尖的董事們的頂頭上司就是總統。據說世界上最忙碌的人是白宮的主人。當然，必須趕時間看很多的文件和書籍，否則無法擔任世界領導者的任務。

例如，美國前總統卡特（一九七七—八一年在位），原來是花生農場的經營主人，後來當選爲總統，入主白宮後學習速讀術，利用二次的訓練，閱讀的速度提升爲以前的四倍，這是他在自傳『卡特回憶錄』中所寫的。

我們來聽聽他的體驗談。

「在總統辦公室長時間工作之後，我的公事包中必須塞滿一大堆文件。開始時覺得很快樂，可是過了一～二週後，我認爲一定要減少工作量才行。

和成員們互助合作，分析我的報告書，分出一些我必須要過目的文件，剩下的文件也盡量挑較短的文件來看。

也就是，我自己和主要的親近人員決定每週日在閣議室接受速讀法的訓練。只上課二次，我的閱讀速度就增加了二倍，後來增加了四倍。訓練結束時，文件工作對我而言已經不再痛苦了。我只要花晚餐後的一點時間，就可以將帶回官邸的工作消化掉。剩下的時間用來閱讀、欣賞電影、和家人團聚。」

希望各位一定要利用本書好好訓練，學會這種實用的美國速讀法。

⊙美國前總統的速讀②——甘迺迪的四倍速讀法

在演說上非常著名的美國前總統甘迺迪（一九六一～六三在位），也學會了速讀術。普通的美國人一分鐘看二百～三百個字（英文單字），而甘迺迪總統一分鐘看一千二百個字，也就是說，閱讀速度為普通人的四～六倍。

世界超大國，而且權利比日本更集中的美國總統的職務，必須時時刻刻做出重大決定的忙碌職務。也可以說是世界上最忙碌的職務，如果不學會速讀術，無法閱讀每天數量龐大的文件，以進行決斷。

而甘迺迪總統使用的是其他的方法。也就是說，必須由總統決斷的案件，即使是龐大的資料，也會命令成員們加以濃縮成一頁而提出來。

換言之，與其自己速讀抽出要點，反而是利用部下的時間，讓他們抽出要點，將幾百～幾千頁的內容濃縮成一頁，只要看這一頁就可以了，因此大幅度節省了時間。也就是，利用部下的時間速讀龐大的文件。

此外，美國總統在經濟、外交、軍事等各方面都設置總統輔佐官，即所謂的智囊團。而這些人在其專門範圍內閱讀龐大的書籍，累積知識和智慧，向總統陳述意見。總統不需要學習一切，而只要從輔佐官那兒聽取重點，就能節省許多時間，節省調查所需的時間，而且能迅速掌握重點，是非常好的方法。

爲了掌握良質情報，不能光靠閱讀，還需要其他好的輸入方法，而且必須活用。當然，並不是每個人都擁有輔佐官，基本上，最好是能夠提升自己本身的速讀能力，同時還必須盡量利用可以利用的人脈和多媒體。

學習個人電腦等時，與其閱讀龐大的個人電腦操作手冊，還不如聽已經學會這些技巧的個人電腦操作員的指導，才是最快的學習法。在這些輔佐官或電腦建議者背後，有其閱讀及龐大的知識。利用他們閱讀等的龐大知識，也算是一種間接的閱讀法。

但是，並不是光聽他人講就好了。如果依賴他們，可能這些借來的知識會造成危險。在他項爲各位敘述，一定要擁有自己的哲學，所以必須自己直接學習。

因此，最好的教材就是書籍。因爲書籍是人類知識累積的寶庫。所以，能夠盡可能節省閱讀的時間，藉此得到多餘的時間，也就等於獲得了深入閱讀自己感興趣的書籍或是進行創造性輸出的時間。

⊙美式速讀的基本技術①——瀏覽（Skimming）

接下來介紹在美國發展的實戰速讀技術。這個速讀術先前已經敘述過，在美國的大學當成正確的科目教導，同時從優秀商業英才到總統都進行實戰使用的技術，我從中挑選出適合國人的思考和語言的方法加以改良，完成了以下的技術。

學會這些技術，讀者可以配合前章的說明，學到美日精選的速讀技術，得到由書籍這個寶庫中取得所需情報的最新、最優良技術，得到「速讀、速解、立即成果」的成效，邁向一個月閱讀五十本書之旅。

美式速讀第一重要技術之一，就是瀏覽。這個瀏覽對於邏輯的速讀而言是必要的技術之一。也是國際上推薦的重要速讀技術之一。

瀏覽是來自英文的skim。也就是「迅速通過、迅速閱讀」的意思。瀏覽這個字也有只取得牛乳等上方澄清液體的意思，即「迅速翻閱後不要全部取得，只取出重要部分」的意思。就好像海鷗不斷掠過海上飛翔，有時降落海面抓魚等，有時在距離海面不遠處飛翔一樣。在海面上不時看著下方，發現對自己重要的東西時立刻降落取得所需物的方法。

同樣地，在閱讀上視線掠過書本的頁面，發現自己必要的內容時，立刻降落書上，獲得情報，接下來再略過其他部分。如果以具體鮮明的想像來說，你可以想像偵察機的駕駛。想像駕駛由自軍的航空母艦出發，掠過海上飛行的情景。

經常注意海上的狀況飛行時，發現眼下出現敵軍的先行巡洋艦或敵人的戰艦、航空母艦時，你能迅速掌握敵方艦船的大小、形狀、噸數、性能，估計人數、大砲數、

像海鷗一樣在書上飛躍，看到必要的情報時急速下降

戰鬥機的數目等，立刻向本部報告，然後飛行至敵方無法攻擊到的上空。

如果你對艦船缺乏一般知識，則即使發現敵人的艦隊，也無法獲得情報或進行正確的報告。但是，具備這一方面的專門知識時，就能夠做出正確、詳細的報告了。

在海上飛翔時卻能夠掌握每一個重點。如果閱讀速度較慢者，就好像用手划船一樣。這個瀏覽是屬於飛機的速度，當然比用手划船的速度更快，而且時間內的行動範圍也能大幅度擴大。

如此快速地飛行，是否能夠掌握自己所需要的情報呢？當然越習慣、越訓練自然就能掌握到，而且能使範圍更爲廣泛，每次都能掌握重點。

⊙瀏覽是美式速讀的綜合技術

瀏覽技術看起來好像是翻閱或斜閱一樣。但事實上並非如此。而是將次項所叙述的各種速讀技術加以綜合、集約而成的。正如先前的紐約大學的史密斯教授所說的，瀏覽的技術是速讀技術的菁華，是最高的技術。

事實上，瀏覽對速讀而言是最有幫助的技術，同時也是最複雜、最高度的技術。因爲它是各種閱讀技巧、速讀技巧的基礎。

它是先前所叙述及接下來將要叙述的各種速讀技術的基礎。如果沒有這個基礎，則瀏覽就會變成普通的翻閱，無法充分了解，只不過是翻閱頁數而已，成爲收穫較少的閱讀。所以，要藉由本書的訓練建立基礎，在基礎上建立更高度的瀏覽技術才行，是這樣子才能使瀏覽技術發揮威力。

學會瀏覽技術，不僅能深入、迅速閱讀書本，同時，如果你是商業英才，則桌上堆積如山的文件也能迅速處理掉。當然，學會這種瀏覽技術就不會再抱怨沒有看書的時間了。事實上不只我一個人，這是由許多美國有能力的商業英才所證明的事實。

就好像海鷗或燕子一樣，雖然在海上或陸上飛翔能夠捕獲獵物，卻不會停在一個地方，擁有達到幾十公里的廣泛行動範圍，能以迅速的速度含蓋整個範圍，了解範圍的概要，分辨需要、不需要的東西，有效地獲得需要的東西。絕對不會錯誤地捕獲一些垃圾或是不能吃的東西。

同樣地，瀏覽也能使你選擇性地在較廣的範圍獲得你需要的東西。所謂廣範圍，是指了解是否需要整本書，或是否需要各章，進行判斷，不必要的東西將其刪除，對於必要的部分能夠正確了解要點，成爲自己的營養、適當地吸收。行動範圍廣大也是重要的要素，掌握一本書的內容，自己不需要的東西可以跳過不看，這就是瀏覽的技術。

遵從先前所敘述的二八法則，看二成，八成跳過不看，就能增加五倍的閱讀速度，再加上能夠得到普通的閱讀速度二倍以上的瀏覽，就能達成十倍以上的理解的速讀效果。

這種瀏覽技術，就像海鷗或燕子一樣，在廣泛的行動範圍內自由自在地飛翔，掌握範圍的概要，迅速找出必要的東西，是非常好的閱讀方法，所以一定要利用稍後介紹的訓練熟悉這項技術。

◉美式速讀的基本技術②——掃描（Scanning）

美式速讀的基礎之一，就是掃描技術。掃描（Scan）是視線迅速通過的意思，同時也有技術用語，像電視等的掃描或電波探測機（雷達）發出電波探測的意思。像腦部等進行畫像診斷的CT電腦斷層掃描，相信大家都知道。由這個印象大家就可以了解，就是朝著目標一直線前進。

最新型的雷達船會向周邊發出電波，立刻將周圍幾十公里內敵人的水上艦船、潛水艇及飛機等掌握住，表現在畫像中，像前述的瀏覽，如果是偵察機時，則掃描就是巡邏艇的雷達或突擊戰鬥機。能夠朝向對象一直線猛衝，因此非常快。

舉例說明，某個突擊戰鬥機，如果攻擊的目標是敵人的司令官搭乘的旗艦時，則根本不會顧慮敵人的其他艦船，而會朝著旗艦猛衝，在中途即使遇到航空母艦或其他戰艦，也只會朝著對象旗艦猛衝，發動攻擊。因此，和瀏覽的方式相比時，速度會更快。

以書籍而言，如果利用NTT很厚的個人電話簿找朋友的電話號碼，這就是一種掃描。只靠朋友的名字，不管其他人的名字，一頁頁地翻閱找尋，即使是幾百頁厚的電話簿，幾分鐘內就可以找到，非常快速，頁數的多寡不是問題。根本不去注意其他名字，只朝著目的物前進，因此速度非常快，就和查字典一樣。

一般書籍也是同樣的，將焦點集中於你想知道的關鍵字或是想知道的事物上，其他東西全都不看，能夠迅速地翻閱頁數，找尋目標情報。

當然，對於閱讀速度的提升而言，能產生很大的效果。當目標鮮明時，目標字眼會成爲一個特別的存在，輸入自己的認識力中。關心的事情或是想知道的事情就會浮現在腦海中，相信大家都有這種神奇的經驗吧！

某個人說，自己感到關心的字「看起來就好像粗字」一樣。例如，一覽表上揭示了考試錄取者的姓名或考試的結果，但是，覺得自己的姓名或編號看起來比其他人的姓名或編號更大、更粗。在普通的文書或信件中，如果有自己的名字時，感覺比其他周圍的名字更爲顯眼，所以最初就會看到自己的名字。

因此，當自己的目標明確時，就容易與其他部分互相區別。好奇心較強的人，對於想知道的事情或關心的事情，越能夠明確地顯現出來，能夠迅速發現對自己而言的關鍵字，能夠增加個人的閱讀速度。

不只是整本書，各章、各頁也是如此。例如，這一章的內容已經了解了，或是對於自己而言並不是重要的內容，可是爲了謹愼起見，擔心裡面有一些自己想要知道的內容，因此，可利用掃描的方式找出來，就不會忽略重點，既能提升速度，也能迅速閱讀完畢。

第三章中將敘述的評論家立花隆，面對許多書的時候，如果在閱讀途中發現某本書不需要再看時，其他的頁數就會迅速翻閱。因爲也可能會有一些意想不到的收穫。

這就是瀏覽和掃描巧妙搭配組合的優良速讀閱讀法。

◉瀏覽和掃描的不同

瀏覽和掃描雖然是使用同樣的技巧，但是目的不同。掃描是以發現特定的字眼、事實或數字爲目的，而瀏覽則是通過整個部分，得到整體的印象。

進行瀏覽時第一個注意點，就是使迅速前進的目的（對象）明確。像海鷗或燕子爲了維持自己和子孫的生命，擁有明確目的就是要找尋餌食。如果沒有這個目的，則在廣泛的飛行範圍中，也很難找出隱藏的食餌等。同樣地，瀏覽時爲了使文章能夠迅速通過，因此要藉由鮮明的目的，得到所需要的東西。

例如，想要找一些快樂的事物或是對工作有幫助的情報，想要找尋某個特定的事項或構想……，不管是何種目的，對於進行瀏覽而言，是保持最高目的意識所需要的重點。如此一來，能使感覺敏銳，使你的收穫更豐碩。

第二是，如果你要瀏覽時，必須下意識地增加速度。也就是說，你好像飛翔在書頁上。但是，如果不能按照有效的順序，則飛行也無用。

◉提升瀏覽和掃描技術的最大秘訣在於擁有自己的主題

不論是瀏覽或掃描，要使自己的主題明確化，才能成為一個敏銳的切口迅速前進。

像獅子追捕獵物時，一定會朝向一隻動物為目標猛衝，才能成功地捕獲獵物。如果獅子沒有決定好的目標獵物，而打算從羚羊群中隨便抓一隻時，就會分散注意力，無法成功地捕獲獵物。

同樣地，如果閱讀時的目標明確化，對象清晰可見，能夠加快速度，同時也能確實收集關於目標的情報。

成為目標的主題，自己平常就要思考出來。這裡所說的主題對於自己的一生而言是重要的主題，同時也可以以自己心中感興趣的事物而設定。相關的主題最初為五～十個。不能分散太多，只能設定在某種程度的數目而已。

日本東大的名譽教授竹內均會經常追逐一百個左右的主題。而關於各主題，閱讀書籍而有所感觸時，就會以一千二百字為單位。寫成簡短的文章。等到擁有一百個主題時，就會結合為一本書。所以目前竹內總共寫了二百本以上的書。

以這種方式設定主題，向世人發表，也算是一種鼓勵。也就是說，藉由一個輸出場或宣洩口，發表場的存在，對於各主題的相關關鍵字或切口等就能努力地鑽研，能夠在短時間內迅速發現許多平常無法發現的重要情報。

由以上的敘述可知，訂主題時也許可以採用十字型的方式，也就是說，不光是注重範圍，而且要在自己心靈這個地面上往下紮根，選定適合自己的主題。選出成爲自己畢生事業的主題及相關的一些主題，形成十字型主題。

擁有主要的主題，將其深植於心靈的地面，藉此鞏固自己的人生，不會受世間波濤的影響而浮沈。能發現深入的主題，就能達成自我實現及畢生的事業。

如果擁有深入的主題，而且將其當成縱軸，深植於地面，穩定之後就能廣泛地擴張橫的主題。也就是說，只要在縱向牢牢地固定，就能朝橫向擴展。

這麼一來，就可以使得自己的人生既深且廣，而且更爲確實。

⊙美式速讀的基本技術③——主要構想把握法

閱讀就好像搭乘觀光巴士旅行一樣。

搭乘巴士在市內觀光，聆聽嚮導的說明。

靠近都心的官廳街時，就會看到著名的建築物，也就是總統府。

閱讀也相同。每一個建築物就是每一章節，章節可能是一個段落或文章的區分，通常三～五行就能成爲一個段落。

最重要的是，在一個章節中一定要有一個主要構想。

也就是「一章節＝一主要構想的原則」。

就是將一個章節當成一個思考的單位，從中產生一個構想。如先前的「這就是總統府」的主要構想出現了。但是這個構想到底在章節的哪一個部分出現，在最初的部分、中間的部分、或是後方的部分，則因章節的不同而異。

機場中的據點機場稱爲中樞機場，以中樞機場爲主，與周圍的機場之間形成網路，而章節中成爲據點的主要構想的周圍，也可以形成各種的詳細組合。因此，秘訣是必須自己找出什麼是主要構想。

只要找出章節中的主要構想，就能了解章節之間的關係。以主要構想爲基礎，就容易了解細節的部分。

下意識這麼做，你就能在短時間內掌握文章的要點。如此一來，即使是難懂的較冗長的文章或論文等，你也可以確實掌握要點，在短時間內正確進行高度智慧作業。

◉主要構想法是商業英才必備的武器

「一章節＝一主要構想」的想法，對於迅速掌握要點的商業英才而言，是必備的武器。

熟練的閱讀者會因閱讀的書籍或文章內容及自己需要的程度，自由變換閱讀的速度及方法。例如越野車賽中，熟練的駕駛在不良的路面或較多行人通過處，會慎重地減慢速度駕駛，而在平坦的道路則不斷地增加速度駕駛，絕對不是在任何道路都以同樣的速度駕駛。這種駕駛能夠運用技巧來駕駛，有時謹愼地緩慢駕駛，有時快速地駕駛，因此，比一般人的速度更快。這就是對自己而言的技巧。

所以，有時候要以一個單字當成一個單位，仔細地分析閱讀才行。例如對自己而言是重要的情報，而且是難易度非常高的文章等，就必須採用這種方式。

但是，有時候必須要用量來彌補，所以從中獲得大量的情報也是重要的技巧之一。這時，必須捨棄將所有的單字一一閱讀的習慣。

以往一一閱讀的人，有時必須跳過許多單字不讀，只找出主要構想來閱讀，但是這麼做會產生罪惡感，或是感到很擔心。可是一定要多努力，捨棄過去的習慣，培養新的習慣。對於許多的書籍和資料，一定要正確地掌握要點，才能得到許多情報。

例如，在一個章節中，以文字數而言，有十分之一是主要構想時，則實行「一章節、一主要構想」，就能使閱讀速度增加十倍。面對大量的文書，只把握要點，就能閱讀十倍的量，這種情況經常可見。

一些研究者、技術者、商業英才、醫生、律師等，的確有許多必須仔細閱讀的文件。但是，有時必須要控制重點，以彌補龐大的範圍及量。

處於今日這種廣大的科學技術發展與情報洪水時代，是必須使用兩種技巧的時代。現代已經不是光靠一字一句不漏地花時間閱讀的方法，就可以應付的時代了。

要發現重要的部分，捨棄不重要的部分，這一點很重要。這時，主要構想把握法是加快處理速度的重要武器。

⊙美式速讀的基本技術④——閱讀關鍵字

主要構想法是把握文中看不到的重要構想，而閱讀關鍵字則是找出文中能用眼睛具體掌握的重要語的方法。

也就是，下意識地從文章中只挑出關鍵字閱讀的方法。關鍵字以外的單字可以忽略不看。

所有文章的單字，在整個文章中對你而言有很重要的和不重要的單字。總之，文章中不可能全都是重要的單字所構成的。一定有最重要的單字，也就是關鍵字，還有許多陪襯的其他單字群。

但是，關鍵字有二種：一種是由作者方面來看的關鍵字；一種是由讀者方面來看認爲具有必要性的關鍵字。這二個切口必須巧妙地維持均衡，從中挑出關鍵字。只閱讀關鍵字就可以去除不必要的單字，節省視力、勞力和時間，結果就能大幅度增加閱讀速度。

一般而言，關鍵字是在文章內容之中，安排在各文章段落的重要語。通常是以名詞或動詞為主。因此要從中找出關鍵字。

⊙美式速讀的基本技術⑤——文字信號法

我們走在路上時，如果能夠遵守紅綠燈的指示，就能使交通順暢。紅燈停、綠燈行。了解這些信號的意義與不了解這些信號的意義，會使道路的通暢度產生很大的差距。

同樣地，在閱讀的世界中，文章中也有信號。這一點你知道嗎？閱讀就好像開車旅行一樣，看起來好像是朝同樣的方向前進，但有時思想和方向卻會逆轉，了解其流程非常重要。有如認識「前面有休息站」或「前面有隧道」等標誌，就能配合事先的預料展現正確的行動。

文章中也有文脈，也就是文章的流向，會朝著一定的方向前進。因此，如果藉由信號把握流向，就好像熟悉道路的駕駛一樣，在閱讀的世界中能夠享受快速的駕駛之樂。

閱讀世界的信號，主要是接續詞。

看書時知道「交通標誌」，能夠提高速度和理解力

如果以紅綠燈來比喻，綠燈就相當於「接著」、「後來」等，即接下來會出現同一方向的文章，表示會順著先前文章的流向前進。

其次是「所以」、「因此」，表示接在這些字眼後面的內容與前面的方向相同，但卻是比先前的部分更重要的部分。也可以算是一種速讀指示。

其次，紅燈的字眼如「結論就是」、「最後」、「總之」等。也就是說，雖然與先前文章的方向相同，但是接下來的文章是最後的結論，表示這個文章的流向已經結束了。亦即，到此爲止是述說重要結論的標誌，接下來文章的流向則完全改變了。

黃燈就好像「但是」、「不過」等。文章的方向、流向在「但是」之後會逆轉，是必須注意的標誌。正如英文的「but」一樣，接下來的文章一定是逆轉的方向。

以上敘述的內容不必一一記住，只要意識到語言也有信號，閱讀時無意識掌握信號，就能夠正確地轉動方向盤了。

⊙美式速讀的基本技術⑥——認識文章的型態

閱讀就好像和作者一起旅遊一樣。作者寫一本書一定有其目的，當然，書就好像活字塊一樣是物質，但是事實上並不是如此，透過書中與作者的對話，更能加速深入了解該書。因此，必須好像和書本的作者面對面談話似地閱讀書籍，就能連繫字裡行間的意義，能夠深入、迅速地閱讀書籍。

作者寫書有其目的。到底要引領讀者到何種方向，到底想要讀者知道些什麼——這是作者的目的。如果不知道作者的目的，或是根本不打算知道，只是配合讀者自己的心態看書時，則無法得到自己所希望的好收穫。

最聰明的方法，就是了解作者的目的，配合他的意識以獲得自己所需要的東西。

閱讀之旅就好像順流而下之旅，如果逆流而上，或是忽略河川的流向，不算是一種順利的旅程。只有順流而下的旅程，才能順利到達目的地，得到更大的收穫。

必須識別作者的目的及流向，也就是說，要了解文章的型態，隨著文章的流向，配合自己閱讀的型態，就能迅速、正確地閱讀。

先前所敘述的班敦・史密斯教授，分析速讀用的各種文章，將其簡要分類爲六種型態。在此稍微介紹一下。中文和英文也是同樣的，只要成爲邏輯的思考，就能夠充分應用。文章具有型態，配合型態閱讀，就能有效迅速正確地掌握要點。光是一種型態的閱讀方式，會使自己蒙受損失。

1. **經驗共有型（讀者分享作者的經驗型）**

這時作者要將本身的經驗告訴讀者，而讀者則要分享這個寶貴的經驗。通常這類的文章會比較簡單，而且好像對自己說話一樣，非常流暢，讀者也能一氣呵成，迅速閱讀這類的文章。

2. **質疑對答型**

最初有些作者提出問題。例如「時間是什麼」，提出問題後而由作者解答的型式。如此一來就能清楚地藉由問題明確指出作者的目的。也就是，會提示主要構想，而配合作者的解答，不需要考慮其他事項，就能夠輕易地看下去了。

3. **情報提示型**

這種型態是作者傳達詳細的情報，因而容易確認，但是關於這一方面的情報，有時過於詳細（因爲作者目的只是爲了給予情報），所以你必須調整自己的閱讀速度，如果對於這個情報感興趣時，就可以仔細閱讀，否則可以跳過不看。

4.意見證明型

這是說明作者意見及其證明根據的型態。作者會使用「我認爲」或「我相信」、「我的意見是」等字眼。如果出現這些字眼時，你一定要了解開頭時作者的意見，必要時要發現其理由和根據，如果不必要時就可以跳過不看。如果你的目的和技術能和作者的型態配合、同調時，就不會造成時間或勞力的浪費。

5.技術證明型

最初先提出結論，然後再持續各種的說明，證明這項結論。這種型態大都是屬於論文型的文章。如果你對於結論的證明有興趣時，可以仔細利用要點法等分析其說明。如果不需要證明時，只要看最初的結論就可以了。

⊙美式速讀的基本技術⑦——心靈圖畫活用法

雖然看了很多書，但是無法實際消化，用自己的語言告訴他人，或是成爲報告、論文、書本、企畫書等的成果，則不算是眞正看過書了。

眞正看過書，不只是快速翻閱書本的頁數，同時要把它當成自己的東西，向他人

利用腦內的語言變換、處理過程描繪心靈圖畫

表現出來，而且實際上基於這個知識展現行動，這才是眞正的閱讀。

書中有對自己而言非常重要的部分，即使要多花一點時間，也要盡可能用自己的頭腦消化，成爲自己的實力。

也許各位覺得很不可思議，但是腦中大約有一百四十億個神經細胞的廣大網路，尤其右腦有一個心靈圖畫的大白板（黑板），寫在上面的字不見得就是寫在書中的字，可說是個人獨特的腦的機械語，可以稱爲「腦語」。

就像利用電腦可以變換普通的語言，成爲電腦最容易處理的機械語一樣，這麼一來，就可以完成電腦獨特的高速處理（參照上圖）。

腦語非常方便，一語可能表示數萬

字，這是經由個人長年經驗和知識的累積而在腦中釀成的。此外，在腦內也能形成書寫（變換）的白板（黑板）。

這就是所謂心靈圖畫。藉由右腦和左腦兩者的作用，經由個人的意識在腦內形成。因此，可以刻畫在腦海中，工作表現上非常能幹的人，這種心靈圖畫越發達，越能從事智慧的作業。

畫心靈圖畫的方法，就是將其深印在腦海中的方法，即在紙上書寫圖表或要點，或是在書中重要的部分畫線（如果是主要構想可以畫一條線，詳細的可以畫虛線或是分成不同的顏色），或在書本的空白處用自己的話語整理要點，逐一寫下來。

對於書上的內容，可以用自己的話語對自己說明，或對他人發表。這麼一來，重要的事項在腦中消化之後，能夠表現於外就很好。能用自己的話說出來，就表示你眞的消化了書中的內容，在自己的腦海中畫出一幅心靈圖畫，同時能將其變換為普通的話語。

一開始就必須寫在紙上的東西，平常就要加以訓練，逐漸地只要在自己頭腦的心靈圖畫中，就能在短時間內輕易處理完成。

⊙美式速讀的基本技術⑧——描繪：架構鉅大個人頭腦情報網路

頭腦中遍布情報線

關於描繪方面，是來自於美式速讀的網路的想法，因此，我提出了這個名稱和概念，這個技術與掃描、瀏覽併用，就能夠建立鉅大的個人頭腦情報網路。

描繪（trace）是「形成痕跡」的意思，也就是說，看書之後將書中所寫的情報痕跡印在自己的記憶中，也就是，書中所需要的情報和自己腦海中的記憶形成連繫，藉此在書本和閱讀者之間形成肉眼看不到的情報線（連繫）。

必要時，可以按照頭腦中的記憶線，找出情報來源，例如從書架上找出某本書，找出重點內容再看一次。人的頭腦記憶力有侷限，無法記住書中所有的內容，而且也不必這麼做。

想要獲得更大的知識，必要時就好像

提出銀行中的存款一樣。根據情報線從書中取出必要的情報就可以了。這樣一來你隨時可以準備龐大的情報和知識，拿來利用。

電腦中有相當於腦中樞的中央演算裝置（ＣＰＵ），其容量並不大，但是外部記憶裝置像硬碟或各種軟碟卻能使記憶容量增大。也就是，ＣＰＵ的功能是配合必要時取出記憶，進行高速的處理。同樣地，描繪就是將比自己的頭腦更多達幾十倍、幾百倍的記憶爲自己所擁有的聰明方法。

日本關西大學名譽教授兼評論家谷澤永一是罕見的閱讀者，他擁有二十萬本藏書。我想像這位知識巨人的腦海中，有一條肉眼看不到的情報線（記憶的痕跡）和各書相連的情景。此外，日本已故作家司馬遼太郎的藏書也很多。我想他們都是藉由描繪，從與龐大書籍相連的情報知識的寶庫中，陸續產生偉大的作品。

閱讀時只留下記憶的痕跡。必要時需藉由記憶的痕跡補充必要的情報。藉此使自己的腦變得更輕鬆，而且參與各種活動時，必要時可利用外部情報。

自己看過的書籍，較容易當成第二次情報來利用，而沒有看過的東西，則是第三次情報，利用度比較低。此外，描繪所產生的情報線比一般精讀時的情報線更粗，但是又比不上掃描或瀏覽時的情報線，可是這個線的範圍（網路）卻非常廣大。

換言之，只要記住記憶的痕跡「〇〇主席在××書中有」，必要時找到這本書就可以了，因此，還是要利用速讀的手段。不僅可以大幅度縮短閱讀的速度及必要的時間，也能使可利用的知識增加更多，所以描繪也是優良的讀書技術之一。

⊙美式速讀的基本技術⑨——預看：加快閱讀的速度加深了解

爲什麼預看有效呢？在閱讀的技術中預看，可讓你選擇對自己有益的書，不需要看無益的書。

預看也可以使你更迅速了解感興趣的書，使讀書更有效率。

具體而言，預看只要花以下幾分鐘的短時間就可以完成。

①**看書的封面或內封面的書名或副標題、作者、經歷等。**

這些情報是，濃縮書中內容的要點中的要點。

②**概觀前言和後記。**

前言和後記中大都包含書中的簡要內容。而且想要了解書的目的及內容時，先看這些部分就能擁有大概的了解。

③**看目錄。**

目錄是標題的集合體，也是所屬文章的濃縮要點。因此，目錄是書的要點集，藉由看各章節的目錄，就可以瞬間了解書的構成和流向。

此外，看目錄時也可以使自己了解對書中的哪一部分最感興趣，能夠明確知道自己感興趣的主題在書中的哪一個章節中。看目錄時如果只對書中的某一個章節有興趣，就翻出該頁迅速閱讀。其他部分不閱讀就能縮短時間，達成目標。

④目錄不夠完善，想要了解全體時，可以翻閱全書，迅速找出標題或插圖、圖解、圖表等。這些部分與目錄具有同樣的作用，使你在短時間內了解所需的內容、感興趣的內容。

這些情報，是作者爲了簡單傳達重點而提出的，所以大都是重要的部分，有時光看圖解就可以輕易地掌握很多重點。

⑤必要時可以看索引

像科學技術或個人電腦手冊等技巧性書籍，卷末大都附有索引。如果感興趣時，可利用索引找出適合的字詞，然後看那一頁就可以了。有時候你想知道的項目可能只有一頁或一章節，利用這個方法就可以結束本書的閱讀。

以這些方式，只要花幾分鐘的短暫時間，不僅能大概了解整本書或各章節的概要，同時也知道哪些部分可以刪除，不需要看無用的部分，能達成省力化，這也是決定讀書方針的重要節省時間的方法。

因此，開始閱讀時一定要先預看。

⊙美式速讀的基本技術⑩——實現水平閱讀、垂直閱讀：二次元的閱讀法

如果是直式書寫的書，通常會如次頁圖上的直線一樣，以由上往下、由上往下……，垂直依序閱讀。這個方法大都是我們從孩提時代就習慣的閱讀法。而同圖的粗橫線，則是視線朝水平移動的水平閱讀法。藉此你可以將以一行為單位的線的一次元閱讀方式，變換為面的二次元閱讀方式，含蓋的面積就能增大，同時也能大幅度增快閱讀的速度。

當然，習慣於上下、上下的垂直閱讀方式後，進行水平的閱讀很困難，可是，下意識這麼做之後，就可以做得很好了。尤其是在瀏覽時，能夠展現極大的閱讀效果。像論文或文件等橫式書寫的書，也可以以同樣的想法，也就是，對於水平排列的文字，視點垂直移動（參照次頁下圖）。利用這個方法從線到面的變化，能形成強力的速讀技術。

此外，歐美的書為橫式書寫，想要改成垂直閱讀的方式困難度更大。但對於國人而言，橫式、直式書寫的書都有，在這種狀況下，能夠縱橫自由自在地移動視點，所以對於國人而言比較有利。

直式文章

水平閱讀

インターネットを使いこなさなければ時代に乗り遅れる、そんな風潮が日本を席巻している。

飲み屋に行っても隣の席で若いカップルが、「○○のホームページがね……」とか、「ブラウザはやっぱり……」なんて話をしているのが耳に入ってしまう。

同僚の目も「あいつインターネットもできないんだぜ」というように見ているような気がしてしまう。そうなったらあなたはインターネット恐怖症。

横式文章

垂直閱讀

感染症の予防とは異なり、成人病の予防は個の医学である。肥満、高血圧、動脈硬化、糖尿病、ガン等の成人病にかかりやすい人とかかりにくい人がいるし、それぞれの予防法も異なるからである。成人病の予防といっても、特効薬があるわけではない。予防の中心は、食事と運動である。我々の口にする食品の中には、従来から知られている栄養素の他にさまざまな生理活性をもつ機能物質が含まれている。

水平閱讀與垂直閱讀

第3章

實踐篇

Practice

從展現實績的
智慧工作高手處
偷取速讀的秘訣

⊙速讀法的效果可由個人的實績來評斷

有的人說：「一分鐘能讀○○萬字」，表示閱讀的速度很快。說起來很簡單，但是，是否眞的能掌握文章的內容，眞的了解呢？就不得而知了。

具有高度知識的專家們，至少要花一百個小時以上不斷推敲，寫成一本書，而在這一方面不熟悉的人，怎麼可能在短時間內了解我教的內容呢？

人必須每天學習，將知識儲存於頭腦中，基於儲存的知識與書本對峙，將自己的知識與書本中的知識對照消化，才能成爲自己的新知識累積下來。因此，對於遠超過自己目前知識水準的內容，怎麼可能輕易了解呢？

如果有人說自己一分鐘可以看○○萬字，到底是否眞的有用，該如何分辨呢？只要看這個人在工作上展現的實績就了解了。

「眞正的成果不是以個人所說的話，而是以個人的實績來評斷。」

因爲包括速讀在內的閱讀，是將知識吸收到自己的頭腦中，亦即知識的輸入，正確地吸收知識才能成爲輸出（實績）。

吸收了很多好知識，才能產生好的實績。某個人以著作或論文的型態，或是某個人以新製品、新技術或新事業的企畫提案方式，或是某人會陸續向客戶提出新的企畫，展現營業成績，這才是眞正的成果。

此外，在學校基於教導學生的立場，如果隨時擁有新鮮豐富的話題，吸引許多學生和聽衆，或是能從書中學到各種新的健康法或有效的方法，才能使人生更充實。

分鐘是否能看○○萬字，不是技巧的問題，最重要的是對自己而言所需要的知識，到底能在短時間內吸收多少。

對自己而言，重要的新知識在有效的時間內能夠大量吸收到頭腦中，就能在頭腦中展現成果。

這種優秀的速讀法，必須利用實戰的方式展現成果才行。換言之，只有締造優良實績的人所進行的短時間閱讀速讀法，才是眞正的好速讀法。

因此，實際上在社會中展現好的實績、非常活躍的人之閱讀法＝速讀法，加以分析、導入其方法，才是在實戰上確實展現成果、提升速讀技巧的訓練之一。

在此，請各種工作的高手登場，按照速讀理論來分析，他們到底是實踐何種速讀法。

了解「智慧工作高手」的速讀法

◎立花隆——〈爲了寫書而閱讀〉的重點爲何

日本的代表評論家之一立花隆，陸續完成許多著作，活躍於雜誌和電視界，在閱讀法方面，於其著書『我看了這些書』中有詳細的叙述。令我感到驚訝的是，他的閱讀量眞的非常驚人。

書中不只寫了立花隆閱讀各種書的概要，同時還附帶了他的書房兼工作室兼書庫的四層樓建築物（黑貓大樓）的簡圖。這座大樓的一樓到四樓塞滿了立花隆的藏書。所以，他的確是閱讀（輸入）與實績（輸出）非常平衡，優秀、巨大的第一級閱讀、工作的高手。

立花隆要讀這麼多書，如果沒有速讀技術，當然辦不到，雖然直接與速讀有關的叙述比較少，但是在書中隨處可見他利用自己的速讀技術。

即使不是下意識這麼做，但是他也能學會迅速閱讀、掌握要點的技巧，並加以實踐。以速讀的技術用語而言，就是掃描、瀏覽、重點構想法、心靈圖畫法、描繪等。

另外一個驚人之處是，他雖然看了很多書，可是卻沒有戴眼鏡。因此，打破了一般人認爲看太多書對眼睛不好，必須要戴眼鏡的常識。

立花隆爲什麼能閱讀如此大量的書籍，爲什麼能展現大量良好的實績，必須注意其根本的理由。

因爲如果根本的動機和目的明確時，自然就能培養細微的技巧。像立花薩的例子，我可以了解的是他的好奇心，他的好奇心非常強。

並不是爲了吸收知識而閱讀，而是爲了寫書而閱讀。日本社會學家淸水幾太郎也敘述了以下的主旨：「如果光是爲了閱讀而閱讀，是被動的，爲了寫書而閱讀就能變成主動，更能加深閱讀的理解度，更能認眞地掌握作者所要敘述的重點」。

的確，立花隆應該是爲了寫書而閱讀，而且他爲了訪問很多人物，所以必須閱讀很多書，先做準備。訪問對象的腦海中擁有還沒有寫在書上的最尖端知識。爲了深入了解，必須在事前閱讀，然後再進行訪問，藉此獲得還沒有出現在書中的最尖端的知識。此外，也可以受到這種刺激而繼續閱讀……，產生一種良性循環的快感。

不論是誰，站在各自範圍的最尖端。不論進行商談或會議，事前爲了準備而閱讀時，甚至連對方腦海中的事情都能探察出來。也就是說，立花隆先生的這種快感，任何人都體會得到。

他對於社會問題或科學技術等廣泛的知識都進行了解，我想就是因為他擁有能在短時間內熟悉專門範圍的秘訣。只要集中學習一個月，就能了解這一方面的概要。

方法是先前往書店街，購買不同對象範圍的入門書數本、解說書數本、論文數本、相關讀物數本、相關事典和年鑑一本等，總之二手捧著一大堆的書，大約二十本左右，然後開始看。

根據立花隆的說法，不見得全部要精讀，有時可以跳過。在他所寫的閱讀十四條中，說到「每個人都應該培養自己的速讀術」。閱讀是人類最高度智慧的活動之一。因此，不要採用單一的方法，可以配合個人的智慧經驗和水準，開拓適合個人的速讀法，對個人而言才是最有幫助、最好的方法。

◉野口悠紀雄的〈「超」學習〉速讀法

其次介紹『「超」學習法』，銷售量突破一百萬本，成為暢銷書籍。這是東大教授野口悠紀雄的著作。他的『「超」整理法』、『「超」學習法』、『「超」個人電腦工作法』等，一出刊就成為暢銷書籍。在專門的經濟學上也有許多深受好評的著作，成為第一級智慧工作的高手。

在『「超」學習法』，的卷末有許多參考書，也就是說他爲了寫一本書已經閱讀了幾十本書。如果不學會速讀法，根本辦不到。而他的速讀法並不是採用「音讀」的方式，而是採用「視讀」的方式。

這個『「超」學習法』中最令人驚訝的是，野口先生命名爲「空降學習法」的學習法。雖然對他而言並不是什麼特別的速讀法，但是我從速讀技術論的觀點來看，這的確是非常好的速讀法之一。

空降學習法可以應用於各範圍，例如戰爭時直接空降到敵人的中樞部，占領該地的方法。也就是說，學習時對於敵人前線基地的基礎理論跳過不看，好像用降落傘降落於自己所需要的內容中一樣，能夠迅速掌握必要的內容。

例如，不只是數學或物理等，像個人電腦的龐大操作手冊，如果從最初的部分開始閱讀，即使有再多的時間也不夠，必須立刻空降到最需要的部分開始學習，這麼一來，就可以大幅度減少應該要閱讀的頁數。這個技術很明顯地，就是瀏覽和掃描的巧妙組合。

⊙渡部昇一的〈智慧生活〉速讀法

上智大學教授渡部昇一在廣泛的評論活動中深獲好評，他的著作『智慧生活的方法』，使我們了解他的閱讀方法。

渡部利用過年時，會躺在床上看長達二千頁的自己所喜歡的英文小說。如果一本書爲二百頁，則相當於十本書的量。而且，他在專門範圍的執筆和研究餘暇之外的三十分鐘～一小時，一天最多可以用三小時進行閱讀，當然是使用速讀法。

這的確是一種王侯貴族的生活無法取代的樂趣。也就是說，他爲了心靈的快樂、豐富而閱讀，自然就能加快閱讀的速度。

此外，在某電視台的節目中，渡部介紹日本的新書，他說「這是一本很好的書，大部分都已經畫線了」，這就是他精讀的證明。如果要畫線時，當然不可能速讀，一定是仔細精讀，將內容放入心中的作業。

花了相當長的時間精讀，也就是熟讀，而渡部進行速讀和熟讀會配合時間的狀況使用，因爲兩者都是需要的。從事智慧工作的高手們，會配合當時心靈的需要，緩急自在地使用最適合的方法。

而渡部先生在『智慧生活的方法』一書中，介紹完成智慧工作的二個方法。這樣就能達成速讀及提升閱讀技術的水準。

第一重點是「持續」，也就是每天都要持續閱讀。

第二就是，有時要「放棄」，例如閱讀詩詞時，每一首詩詞的解釋法很多，不過在三分鐘以內必須要放棄，繼續看下去。這樣才可以看完詩詞集。相反地，如果執著於其中一句，花很長的時間研究，就無法放棄，也無法完全看完了。

◉船井幸雄的〈跳讀〉速讀法

日本的代表經營顧問公司，船井綜合研究所會長船井幸雄先生，除了經營自己的公司及對各公司進行經營指導之外，還進行各種演講，其著書達六十本以上，是超忙碌的人。根據最近的著書，說明他的閱讀是「花二小時看完一本書」。而且「雖然是跳讀、瀏覽，但也算是速讀」。

所以，船井先生基於廣泛深入的知識和熟練的經驗，能在短時間內把握書籍中的本質，擁有獨特的優秀速讀法。

◉鈴木健二的〈一級資料識別〉速讀法

前日本NHK的名主持人，出過幾百本暢銷書籍的鈴木健二，在NHK時代負責主持節目時，爲了準備，會購買十幾本與主題有關的書。

並不是看完所有的書。找出幾本能夠成爲骨骼的基本書籍，也就是一級資料，加以熟讀。也就是說，關於主題的「哲學」的流向能完全掌握。而其他書則當成二級資料，只閱讀必要的內容，不需要的部分就略過，如此一來，就能在短時間內得到相關主題的深廣知識。

鈴木先生的閱讀方法，的確是非常好的速讀技術。十本中深入閱讀其中二本，而其他八本則依照先前的帕雷特法則，必要的部分只閱讀二成，以單純的計算來看，爲普通閱讀方式三分之一的分量，也就是說，能以三倍的速度閱讀書籍。這些從事智慧工作的高手之閱讀速度，比普通人快三倍，則總閱讀速度就是三×三＝九倍。

速讀是在有限的時間內，盡可能多得到良質知識的手段，鈴木先生的方法，在有限的時間內，能得到深而廣的知識，的確是非常好的速讀法。錄製電視節目之前，忙碌短暫的準備期間，藉此能得到充實的知識，鈴木先生才能使觀衆感動。

⊙竹村健一的〈關鍵字〉速讀法

評論家竹村健一因爲經常含著煙斗而著名，據說他看了五百本的書，而且從事演講和各種事業。

在忙碌中閱讀書籍時，竹村只看書中的標題或關鍵字，就能直接推測出各章節的內容，然後移往下一章節。藉此能以幾十倍的速度閱讀。

也許有人認爲，這種方法只有像竹村這種老手才能辦到，但是不論任何人，在自己的專門範圍能夠清楚地分辨要或不要，是任何人都可以應用的方法。書本不是從頭看到尾，因為閱讀國字需要消耗很多能量。

閱讀有二種方法，一種是以閱讀本身為目的。例如享受小說等文學之樂。這時當然要多花點時間享受閱讀，不需要速讀。

另一種是把閱讀當成手段，以獲得知識和情報為目的而閱讀。這時只要達成目的就可以了。所以不必像第一種方法一樣，閱讀所有的部分。

由這個意義來看，在今日這個情報氾濫的時代，在有限的時間內為了獲得更多的良質情報的閱讀術＝速讀術是必要的。

◉失矧晴一郎的〈無讀流〉速讀法

失矧晴一郎以往曾經看過一百本以上的書，而且也曾經一天寫一本書，是智慧工作的老手。

他的青年時代在銀行工作，從營業部門調到調查部的時候，必須要閱讀許多資料和書籍，因而必須學習速讀術。

即使是速讀的老手，他自銀行工作退休後，移居到波士頓，下定決心要在一年內看完哈佛大學和麻省理工學院的大圖書館的書。

同時，成立了顧問公司，直到今日爲止，還是要看很多的書。他爲了迅速理解閱讀的書籍，累積了訓練和實踐。

最後的速讀秘訣就是「多閱讀，不能閱讀太多」，即是他看似矛盾的簡單法則。爲了閱讀書籍，眼睛、視神經、腦等能力有限，所以閱讀能量並非無限的。如果想要看很多書，會耗盡能量，太過疲憊，因此，必須謹慎使用能量。如果不區分所有字的重要度，以一種型態非常認眞地看完全部，這是最沒有效率，並且最感到疲憊的做法。因爲書中包含對自己而言重要的情報，以及不重要的情報。

失矧先生認爲一本書中，現在眞正需要的情報只有二頁而已。如果是普通人看二百頁的一本書，他就能看一百本書。所以，實際上也有一天看五十本書的記錄。

失矧先生在著書『短時間速習學習法』中，有以下的叙述。這也是由他豐富的速讀實踐經驗與優良的成果所得到的寶貴叙述，同時與我的想法非常接近。

「配合閱讀的目的，清楚地決定關鍵字，這就是我的超級閱讀法。我最討厭『眼球迅速移動閱讀』或是『用手指追逐一行一行的字閱讀』等需要肉體努力的閱讀法。我希望能夠使用頭腦，順利迅速地閱讀。這是我的願望，也是我的實踐法。」

正是前面一再敘述的，速讀並不是眼睛肌肉的運動，而是高度的智慧作業，想在短時間內迅速進行閱讀這種高度智慧作業的速讀訓練是必要的。本書中含有許多這種智慧作業的速讀訓練法。

◎大衆傳播界的大老大宅壯一的〈新材料發現〉速讀法

接下來介紹最後一位日本智慧工作的高手，他是大衆傳播界的大老，發表過許多評論，領導日本論壇的大宅壯一。

大宅先生所閱讀過的龐大藏書成爲圖書館，稱爲大宅壯一文庫，是大衆傳播界人士的重寶。

大宅先生的閱讀（輸入）以及著書和發表（輸出）的質量都非常卓越，留下偉大的實績，是一位平凡的閱讀家和實踐家。他的一段話讓我們知道他的確了解書籍這種情報的性質，並且巧妙運用，展現閱讀、速讀之妙。

「不是從頭到尾看一本書。以我的年齡來說，能夠掌握書中所寫內容的九分。原本書就是在先人的業績上加上新發現的材料。藉由新的想法重新組合而成的。因此，只要閱讀新的材料與新穎構想的部分就行了。」

享受閱讀之樂的「一個月閱讀五十本書」的達成、實踐方法

⊙最近的書店是速讀道場——經常站在那兒看書的人是會買很多書的人

先前介紹了名人的速讀法。接下來介紹普通的上班族，也就是我自己的實踐法。平常有工作，平凡的我能夠做到的方法，我想應該也是任何人都能做到的方法。提出來供各位參考。

第一章中敘述過，我每個月的讀書目標是一個月五十本。大約八年前開發了自己的速讀法，一直持續這個目標而且達成目標。能夠長期持續的理由，就是發現在實用性上的確有幫助，毫不勉強地享受這種樂趣，而且得到許多收穫。還有一個理由是，一部分前述的閱讀能夠分爲速讀系列、精讀系列、錄音帶閱讀等三系列。

經常有人問我「一個月讀五十本書，那不是要花很多買書錢嗎？」但是，一個月大約買十～十五本左右，不可能一個月買五十本。因爲速讀系列的書，只要每天下班回家時在書店中站著閱讀就可以了。

所以，大部分的材料都是免費的。但是爲了名譽起見，站在那兒的同時也會向那家書店購買許多書。買回的書在自宅或通勤時，或是利用在公司裡的空檔當成精讀系列來看。

最近的書店人員，即使顧客站在那兒閱讀也不會再發牢騷了。以前站在那兒看時，書店的人可能會在你的眼前晃來晃去，現在可以讓顧客自由地看書。因爲他們了解「經常站在那兒看書的人，才是會買很多書的人」。

此外，前往書店也要遵守最低限度的禮貌。站在那兒看過的書想要購買時，原則上一定要在這家書店買，不要弄髒書，站在那兒閱讀時，如果有人想看擺在你面前的書時，你就必須由該處挪開位置，不要站在同一場所超過十五分鐘，這都是必須遵守的禮貌。

我站著閱讀的時間，一本書大約是十五分鐘。只要十五分鐘，將先前所敘述的二十項理論、法則實踐所培養的所有速讀技法總動員，就能得到相當大的收穫。稍後公開這個方法。

⊙站著閱讀能夠一個月看五十本書，兼顧興趣和實益的方法

我一個月看五十本書，如先前所述，如果是速讀系列的，主要在書店一個月看三

十本以上，精讀系列則在自宅或通勤的車上一個月看十～十五本，聽錄音帶閱讀系列則是在步行中一個月完成五～十本。

從公司回家，下車後有些人會到附近的餐飲店中小酌一番，但是我的興趣則是到附近的書店中站著看書。每天大約花二十分鐘在書店速讀，兼顧興趣、實益和訓練，把書店當成速讀訓練道場。雖然站在那兒看書，但是書店可說是珍貴的第二書房兼速讀訓練道場。

在書店中我會盡量小心地遵守禮儀、禮貌，站在那兒閱讀，絕對不會對書店造成任何麻煩。

因爲經常站在同一家書店閱讀，如果被店員記住，有時會造成不良影響，因此，只要選幾家不同的書店，輪流去逛逛就可以了。

此外，既然當成「道場」，則進入書店之前要先將手錶當成計時器。如果經常在書店內這麼做別人會覺得很奇怪，同時也會擔心自己展現怪異的行動讓別人懷疑。

但是，一個月看五十本書，一天看一本時，只能看三十本，必須再加上二十本，否則無法達成目標。這麼嚴格地設定目標，就是爲了不要讓自己掉以輕心，讓自己隨時保持一種緊張感。

我會將每個月閱讀過的書之書名、作者、出版社等塡入系列手冊中，可以知道現在到底看了幾本書，到了一個月的中旬或下旬，就知道還有二十本書沒看，或是還有三十本的目標沒有達成，就要趕緊急起直追。

當然，如果能夠順利閱讀就沒有問題了。有時候體調不好或太過於忙碌時，在非常嚴重的狀況下，我又想跑到書店站在那兒看書了。

如果沒什麼重要的事情，平常在下班之後，我一定會到書店看書二十分鐘。

◉進入書店後的三個階段

爲什麼要這麼做呢？因爲我會下意識地將閱讀分爲以下三階段實行，而且主要是在書店進行這項工作。

許多人在無意識中也會實行這個方法，但是如果下意識地訂出目的來實行，更能提升閱讀效率。

第一階段是在書店內「素讀」。

這是我自己創造的名稱，也就是手不碰到書，在書店內逛一圈的意思。不用伸手，看擺在書架上的書，看堆放的書籍之封面，看整個書店的書。

這麼一來，就知道書本的配置、重新更換過的書、新進來的書，還有前不久還存在，現在已經消失的書等。

以這種方式進行三分鐘的素讀。從許多書中就會發現自己想要的書浮現在眼前。不知道你有沒有這種經驗，覺得書的題字和裝訂好像散發出光輝。這本書可能就是你要尋求的書了。接近這本散發出光輝的書吧！

第二階段就是「觸讀」。就是在排列的書中，伸手實際觸摸目標書，對於封面、裡面、目錄、作者略歷、前言、後記等全部瀏覽一下。所需時間一本書大約一～二分鐘，這樣大致就可以了解這本書的性格和內容概要了。

經過第一階段與第二階段之後，總計五分鐘內進行書店內的市場調查。進入書店每天進行這種訓練，能培養銳利的眼光，好像忍者一樣，對於店內書的小幅度移動都能了解。此外，也能了解各書店的特徵。這對於掌握書的動態而言非常重要。

磨練這種感覺之後，不僅知道讀者喜歡哪一些書、哪一些書立刻就會消失得無影無蹤，而且也知道在今後的社會將會發生什麼事情。

最近，書的動態更為激烈了。昨天還擺在書架上的書，可能今天就已經銷聲匿跡了，因此，可知整個社會的動態非常激烈。會讓人產生一種無法掉以輕心的愉快緊張感。

如果第一階段是文件考選的話，則第二階段就好像是第一次面談一樣。當然到了第二階段為止的閱讀冊數絕對不要去數它。將它當成速讀前的準備作業吧！

書店是「速讀道場」。站著看書能夠磨練情報感度

⊙在書店的速讀＝第三階段的重點

其次從第三階段開始「速讀」。終於談到正題了。取下一本書翻開，看書時按下手錶的計時器。花十五分鐘速讀一本書，結束後再將這本書當成看完的一本書計算。此外，因為在公司消耗了許多能量，回家的路上當然會感到很疲累，所以不要過於勉強。如果勉強持續，則一切都無用。以十五分鐘標準，十分鐘以上就OK了。

當然，如果毫不勉強，覺得很快樂的話，可以長久持續下去。事實上，我就是進行這種調整才能持續閱讀。

集中十五分鐘速讀。好好區分時間，在既定的時間內全力掌握書中所敘述的要點。只要花十五分鐘站著速讀，使用所有的速讀技術，那就是一次大豐收的閱讀，而且也能展現訓練的技巧。

由於是站著閱讀的狀況，能夠有效地使以往已經訓練過的，但是幾乎快要忘記的速讀技術，突然浮現在腦海中。每天實踐這種速讀，就能磨練速讀的頭腦。

十五分鐘怎麼能形成濃密的閱讀呢？也就是拿出我的理論中的二八法則應用，相當於應用以往的方法閱讀時所花的二個小時。

即使是十五分鐘，以普通的速度朗讀，大約能唸三千二百個字。經過一些訓練，在這段時間內就能吸收龐大的情報。

想要得到更多情報的最佳武器，就是對於尖銳的消息或是主題的欲求。自己想從這本書中得到些什麼，以及作者到底主張些什麼，一定要認眞地把握住。

十五分鐘的談話，我們就能夠了解說話者的想法。同樣是十五分鐘，使用速讀技術認眞地看一本書，也能掌握整本書的全貌。

經過訓練能夠加深對書的了解。例如，某位編輯在電視上叙述先前提及的司馬遼太郎時，他說司馬先生的速讀就是持續翻閱書頁，這樣就能了解書的內容，的確令人感到驚訝。

熟悉這種閱讀方式的司馬先生，就好像宮本武藏可以瞬間看穿對手的力量一樣，在十五分鐘的短暫時間內就能看穿書的本質。

這也許是很困難的技巧，但是持續訓練後，就能使收穫更豐富。實際上利用自己最想了解的書實地訓練，就能得到更好的收穫。就好像想要成爲游泳選手，先在陸地上學理論是不夠的，還必須靠身體（腦）來學習。

所以，在書店這個「道場」速讀後，帶著一種愉快的滿足感離開書店。

◉利用一個月閱讀五十本書，享受類似快樂未知世界的體驗

一個月閱讀五十本書的優點之一，就是能夠閱讀到一個月看五～十本書的人所無法看到的許多範圍的書。也就是說，能夠進入自己未知的範圍、未踏入的範圍，藉此得到許多知識。

舉個身邊的例子，前些日子我到書店去，爲了達成一天看一本書以上的速讀目標，環視書架時，看到了很顯眼的一本書。

這是利用網路販賣美國衣料的京都人所寫的書，這本書我十五分鐘速讀完之後，除了了解利用網路經營店的辛苦與喜悅，也知道了應注意的事項。也就是說，在十五分鐘內我就得到了類似網路生意的體驗。

將來我也希望在網際網路上擁有網站，因此，這個類似的體驗是一大參考。也就是現在自己無法辦到的各種不同的體驗，每天我都能夠經歷，每天也都能擴展自己的

世界。

幾天後所看的書，書名爲『成爲書店的老闆』，這是某個音樂家不想再靠音樂吃飯，希望做個小生意，因此開書店。看了這本書之後，我對於平常出入的書店能用與以往完全不同的立場，也就是站在書店的立場而體驗書店的世界。

在這個世界上有很多我們體驗不到的場所，從宏觀的宇宙到微觀的空間，有幾千、幾萬、幾億個，只能靠閱讀和作者一起輕鬆地享受未知世界之旅。換言之，一個月可進行五十次這種旅程。

⊙書店以外的閱讀五階段戰略

接下來介紹在車上或自宅等書店以外的地方閱讀的方法，這時包括速讀所進行的精讀系列在內，會搭配組合五階段戰略。而這五階段閱讀是以先前所敘述的法蘭西斯・培根爲原點，與西歐系列的閱讀（速讀）法非常類似。

第一～第三階段與前項相同，再加上第四～第五階段的精讀系列。其中第四階段是「精讀」，書買回來後，每一冊花一小時以上的時間閱讀。第五階段的「熟讀」則是從書中學習使書的內容成爲自己的精神食糧。

熟讀時每一字每一句都要集中自己的精力，一邊實行一邊體會。因此，每一章或

閱讀的五階段與特徵

閱讀階段	閱讀速度〈1 單位(15 分鐘)冊數〉	涵蓋率	理解度
第 1 階段「素讀」	5 分鐘 100 本〈300 本〉	快(廣)	淺
第 2 階段「觸讀」	5 分鐘 5 本〈15 本〉		
第 3 階段「速讀」	15 分鐘 1 本〈1 本〉		
第 4 階段「精讀」	1 小時 1 本以下〈0.25 本〉		
第 5 階段「熟讀」	3 小時 1 本以下〈0.08 本〉	慢(狹窄)	深

※涵蓋率是指對於整個情報的涵蓋比率

每一頁、每一行都必須要花很多時間閱讀。

當然，在第四～第五階段時不能進行速讀，所以一定要使用各種技術加快閱讀的速度。也就是，在這個階段依重點的掌握方式不同，實際上也可以配合書的內容，將所有階段的戰略分別使用。

附帶一提，每當踏入一階段時，會加深理解度，但是閱讀的速度及涵蓋率會降低，如上表所述。

但是，前述五階段的組合，要配合書的內容、種類及一本中各頁的內容，隨機應變地在第一～第五階段中進行，好像搭乘昇降機似地上下移動，當然不見得完全符合表中的涵蓋率或閱讀速度、理解度等。也就是，不要採用相同的閱讀方法，要依內容的不同而改變閱讀方法的階段。

因書的種類不同，涵蓋率越大則越難加深理解度，所以，例如要將書中的內容當成情報，牢牢深印在頭腦中而留下痕跡時，那麼適用第一階段的閱讀方法，但是一般而言對於自己的想法、人格、人生哲學的形成等自己的骨骼形成有益的重要書，適用第五階段。

這樣子就能輕易地在一個月看完五十本書。現在的社會不斷進步，許多書籍陸續問世，一個月光看幾本書無法了解整個世界的變化，在大時代的潮流中已經落伍了。

看過五十本書和只看過一本書，在競爭力上就會產生很大的差距，因此情報的涵蓋率非常重要。即使是淺顯的知識，如果能了解，也能產生探查的線索，不必全都記在腦海中。如果全都記在腦海中，可能頭腦無法負荷。

就這樣一個月看三十本、四十本或五十本，決定目標、達成目標，再慢慢地要求深度即可。

利用本書能讓讀者熟練這種運用戰略的速讀法，而在第四章中將其細分為十二階段，準備好按照各階段逐漸進步的訓練教材。

⊙輕易達成一個月看五十本書的閱讀三系列方式

在速讀理論⑦中為各位敘述過閱讀三系列系統，在日常的閱讀實踐上，在速度和加深理解度上能夠發揮極大的威力，所以以下稍微補充說明。

先前敘述過的閱讀三系列，是指速讀系列、精讀系列、聽讀系列（聽錄音帶閱讀），但是並不是互相對立，而是互相彌補，這一點各位一定要了解。

例如精讀系列，一本書不是花十五分鐘以速讀的方式看完，而是多花一點時間，慢慢地體會而閱讀。好的文章要細細地咀嚼，而支持這種做法的背景就是速讀系列。也就是，如果能夠經由速讀系列的訓練，再深入要求閱讀的深度，這才是精讀系列的基本。

而速讀系列要求的是閱讀的速度及範圍的廣泛，擁有同樣根底的精讀系列則可以培養主要的興趣、生存的意義，畢生事業的中心課題，以及深入觀察的眼光和深入的情報知識之骨骼，所以利用速讀系列，看書店的許多書，再利用精讀系列吸取美味的蜂蜜。

即使是片斷的知識，利用精讀系列培養出來的精神之背骨、中核，就能整理出有意義的知識。如果只依賴速讀系列，只吸收片斷的知識時，就會形成不穩定、沒有背骨的人格或人類。

相反地，如果只執著於精讀系列，會使得閱讀範圍和視野變得非常狹隘，只知道自己的專門範圍，成爲一個專門笨蛋而已。

所以，必須具有相互關係，互相彌補、互相刺激。也就是，精讀必須經由速讀訓練之賜，提升閱讀速度之後，才能進行精讀。而利用精讀的技巧能夠使速讀系列的閱讀變得更深、更敏銳，所以，兩種系列不需要仔細加以區分，只要隨機應變，分別使用，達到調和融合是最理想的。

關於第三系列的錄音帶閱讀，詳細情形稍後爲各位敘述，總之，想追求使心靈豐富的文學等，可以以錄音帶的型態，有效地利用空間時間閱讀一些在時代的波濤中能夠殘存下來的超長銷書籍＝古典書籍等，培養超越時代的教養、見識、穩定的人格及人生觀。

利用這三大系列互助合作，才能形成在大競爭時代生存的穩固人生觀。由這三方面不斷地刺激腦細胞，能使頭腦活絡。

◎以十五分鐘爲一單位的閱讀效用

我不只在書店內閱讀，在書店以外的地方閱讀，也以十五分鐘爲一單位閱讀。因此以三十分鐘來算，就是兩個單位。

第一個理由是，很多人認爲爲了閱讀必須花一小時或二小時等較長的時間，但是有時候沒有辦法取得這麼長的時間，結果沒有辦法閱讀。

反而是忙碌的人，可以利用上班或工作空檔等時間，取得十五分鐘的時間。也就是，無法取得一小時，卻能取得十五分鐘的空閒時間。

將這些時間收集起來，就能夠成爲相當長的時間，如果連十五分鐘都抽不出來的人，也可以以一次五分鐘，合計三個五分鐘取得十五分鐘一單位的時間。取得空閒時間並有效活用時間，這種十五分一單位制非常有利。

第二是，這個十五分鐘是能夠集中精神工作的最小時間單位。換言之，如果長時間持續閱讀時，眼睛會疲勞，但是十五分鐘就不會疲勞，能夠集中精神閱讀。此外，打算長時間閱讀時，在中途可能有一些事情必須做，或是有好的構想浮現……。因此，如果閱讀十五分鐘休息五分鐘，以二十分鐘爲一套時間，則一小時就可擁有三套時間來應付。

設定五分鐘的時間讓眼睛休息，看遠處、喝茶、辦事情、整理自己的構想，同時也容易進行下一個計畫的時間管理。在時間的計算上也容易算出今天的目標到底是幾單位等，較容易進行目標的設定或實績的測定。也就是，容易進行各方面的管理。

我會在自己的系統手冊上記錄書名、作者、出版社及閱讀了幾單位等，這麼一來，就容易了解每個月所看的書的冊數，以及對於一天閱讀所需的時間單位數及其目標，較容易進行設定管理。我一個月至少看五十本書，一天閱讀十單位，錄音帶閱讀則以五單位爲目標。

因爲容易計算，所以知道看一本書需要幾單位，反過來也知道一單位可以看幾頁書。可以輸入個人電腦，時常檢查。人類一旦擁有具體的數字時，就會朝向數字努力，如果欠缺具體的目標，不管做什麼事情都是馬馬虎虎的。做生意也是如此。由這個意義來看，十五分鐘單位制是將閱讀數値化、科學化，較容易進行閱讀這種智慧作業的管理，例如自己擔任董事長，而閱讀則在自己的管理之下的做法一樣。

十五分鐘只不過是一個大致的原則，也可以以十分鐘爲一單位，具有彈性。感覺疲勞時不要強制實行，這才是能夠長久持續的秘訣。有時眼睛疲勞了，不需要持續十五分鐘，持續十分鐘也可以。

◉「〇〇之後（前）先看十五分鐘」能使閱讀時間激增

買了一本厚厚的書，認爲必須花較長的時間閱讀，因此想在休假日閱讀，可是往往卻因爲必須做其他事情而無法閱讀。好不容易得到時間想要閱讀時，眼睛疲勞而無法看下去——你有沒有這樣的經驗呢？

「想要開始閱讀，卻沒有時間」，這種欲求不滿的現象能否加以解決而看很多書呢？關於這一點，爲各位介紹分割制，十五分單位制。

工作也是如此，比較困難的大型工作，可以用薄片法，也就是削成一片片的薄片，只要是小片斷就容易處理，閱讀時即使是很厚的書，將其分成每一個小部分，少花一些時間就能處理它，這樣就能輕易看完一本書了。十五分鐘、十分鐘或五分鐘

有效活用1天之中的空隙時間

（十五分單位的三分之二、三分之一），一天中找出一些空閒時間就可以辦到。

有一首歌詞的內容是「從一杯咖啡開始」，早上喝一杯、飯後喝一杯、工作前喝一杯，可以利用看書的一小部分代替這一杯咖啡。早上看十五分鐘、工作前看十五分鐘、飯後看十五分鐘……，等到一天結束時，就能形成相當多的單位數。

閱讀眞是很不可思議的行爲，越看就越能增加知識而產生興趣，閱讀速度也會加快。因此，最初最想看的書用這種十五分法來看。搭車上班時或利用中午休息的時間都可以。在公司裡有時間的話也可以看書。

現在在公司工作，光靠專門範圍已經不夠用了，對於做生意而言，周遭的社會現象及生活型態、健康等知識都是必要的。也就是說，自己想看的書和在公司裡所看的書，許多部分都有共通內容。

想看的書如果對公司有貢獻，到公司後的早上、中午、工作前看十分鐘或十五分鐘。日積月累自然能增加閱讀量。

當然，在眼睛和頭腦保持最佳狀況之下，不只看十五分鐘，還可以看更多時間，也可以增加爲二單位或五單位。如果集中精神閱讀而眼睛不會疲勞，當然沒問題，好不容易產生閱讀的興趣，如果中途中斷，那的確是很可惜的事。

十五分鐘單位能夠使你徹底集中精神在這段時間閱讀；相反地，在這段期間如果出現好的靈感、構想或有其他事情時，身邊隨時準備便條紙，在十五分鐘的閱讀結束後再加以處理。

能夠集中精神是以十五分鐘爲單位的優點，對於眼睛和身體的放鬆而言，也是很好的方法。眼睛的焦點一旦長時間集中在書籍上，眼睛的肌肉會僵硬固定化，容易罹患近視或遠視。因此，必須區分爲某種程度，在閱讀結束後看看遠方的景色，或是活動身體，使眼睛和身體的肌肉放鬆。

先前敘述過，閱讀十五分鐘後休息五分鐘，以二十分鐘爲一套，利用休息時間處理雜事或放鬆眼睛和身體的肌肉較好。

這個十五分鐘單位制（有時爲十分鐘）將獲得的單位數記錄下來，較容易訂立目標，更容易享受閱讀之樂。

商業英才的新武器，移動式音響閱讀系統

◉眼睛和頭腦不會疲勞的錄音帶閱讀

目前國內的大哥大和PHS成爆發性的增加。這是用口說話，用耳朵聽的聽覺系統的溝通，因爲可以一邊移動一邊進行，所以大家都覺得非常方便。

我的提議是，也可以享受聽覺系統移動閱讀系統的方便。也就是說，閱讀除了速讀系列、精讀系列以外，還可以加上「聽讀系列」（用耳朵聽錄音帶閱讀）。

先前敘述過「三系列」閱讀，而我導入了聽（音響）錄音帶閱讀之後，不論在質與量方面，都能更強化、充實「閱讀」。

聽讀系列，也就是錄音帶閱讀的最大優點，就是不需要使用因爲閱讀或使用個人電腦而在平常酷使的眼睛，在無法進行普通閱讀之其他的TPO（時間、場所、機

會）中，可以藉由錄音帶閱讀來獲得閱讀的樂趣。

藉此可以大幅度增加閱讀量，也能增大輸入的知識。

具體而言，錄音帶閱讀的優點如下：

①**能夠反覆聽好幾次**——不需要使用眼睛，可以反覆聽好幾次。深印在腦海中，中途還可以倒帶，同樣的內容可以聽好幾次。

②**不需要挑選場所和時間**——例如上班搭車時就可以聽。走路上班時也可以一邊走路一邊聽，洗澡時或洗臉時也可以聽。躺上床上睡覺時也可以聽。

以這種方式閱讀書籍，在勉強時或比較不方便的場所，只要聽錄音帶，相信可以發現很多利用的時間和場所，就能一舉增大閱讀量。

③**不會使眼睛疲勞，能讓眼睛休息**——對於經常使用個人電腦或文字處理機，看較小的文字、文件而消耗視力的商業英才而言，採用聽的方式的確是一大恩惠。

體調不良或眼睛疲勞時，無法使用眼睛閱讀，只有頭腦非常清晰，這時就可以尋求一些重要的知識。此時可以採用錄音帶閱讀的方式。

④**因爲不使用眼睛，所以能夠輕鬆地閱讀古典長篇小說**——著名的日本閱讀家昭和電工的鈴木治男名譽會長，在其一生中曾閱讀過三次杜斯妥耶夫斯基的『卡拉曼左夫的兄弟』這本書。這麼長的鉅著，他到了中年以後由於視力減弱，無法閱讀，可是

他卻能輕鬆地利用錄音帶來閱讀。忙碌的商業英才也可以藉由古典名作來豐富自己的心靈。古典名作對於人生而言非常重要。

⊙通勤中的錄音帶閱讀可使閱讀時間增加三倍

我經常將通勤的車當成書齋。根據辭典的解釋，書齋是指「在個人家中閱讀或書寫的房間」，我認爲書齋的功能應該是「個人能夠閱讀、思考、書寫的場所」。所以自宅中雖然沒有豪華的書齋，但是如果能發揮其機能，不管任何場所都是很好的書齋。

所以，通勤的車子也可以成爲好的書齋。

不論在公司或家庭中，在共同生活之下很難取得自己的時間。擁有個人的書齋，學習自己喜歡的事情——相信很多人有這種想法。但是卻無法擁有自己的時間。可是上班族卻可以利用大家都有的通勤時間。

但是，在車上的閱讀，尤其在昏暗的燈光下，在車內閱讀非常疲倦。因此，就算以十五分鐘單位制來努力，但是閱讀的時間畢竟有限，無法進行普通的閱讀時，可以活用錄音帶閱讀法。錄音帶閱讀法也可以十分鐘爲一單位。

走路時也無法看書，但是卻能進行錄音帶閱讀。從自宅到車站的往返步行時間，可以閱讀二單位，從公司到車站也可以閱讀二單位（這裡所指的一單位約十分鐘），進行錄音帶閱讀。

光是步行的通勤時間，就能夠完成四單位的閱讀。當然，這個時間也能進行為健康著想的步行，如果加上錄音帶閱讀，則是移動+步行+閱讀，進行三效處理。

很多人在這段時間會利用隨身聽聽音樂，如果心情不適合或是湧現知識慾時，就不要聽音樂，更換為聽閱讀錄音帶吧！

◉利用錄音帶閱讀要聽些什麼

不會使眼睛疲勞的閱讀（輸入）量希望增加時，可以利用錄音帶閱讀。到目前為止，我已經嘗試過各種方法。

第一、就是將電視節目中的對談等錄在錄影帶中，然後將聲音錄入錄音帶中，搭車時聽。會產生很多映像的旅行節目等，光用耳朵聽可能沒有幫助，但是對談等節目較容易利用，不需要廣告或某些內容時，可以按前進鍵，只聽感興趣的節目。

希望加強英語的人，可以聽ICRT或美語教學節目等。以前我也曾經聽過這些節目，可是時段較難配合。也可以用錄音機將節目錄下來，再配合自己的時間聽。

廣播電台本身就是一個素材的寶庫，現年九十四歲的三石巖（前日本慶應大學教

能夠一邊做事一邊聽錄音帶的「錄音帶閱讀」

授）直到現在都不看電視，而是聽空中大學的廣播節目而學習。

利用錄音帶的最重要之處，就是能按快速前進或後退，能夠輕易地到達自己想聽的部分，同時還有停止鍵，感動時或靈感出現時可以暫時停止，讓自己思考。

利用錄音帶閱讀的優點，就是即使身處擁擠的車上，也能擺在口袋中操作。此外，即使在黑暗、搖晃的地方也能夠聽到。眼睛會感覺疲勞的閱讀畢竟有其界限，這時可利用耳朵收集各種情報。

所以，導入錄音帶能使閱讀時間飛躍增加。

此外，還沒有閱讀過的書也可以利用錄音帶聽，可是只能請求周圍的人為你錄音了。我當初就是拜託妻子幫我錄音。

但是，有時無法獲得協助，這時只好自己錄音。某個人說，如果自己念書錄進錄音帶裡，根本無法節省時間，當然如果只閱讀一次，當然是一種浪費，可是如果反覆閱讀好幾次，能夠成爲心靈的糧食，則這些書可以自己錄進錄音帶中，搭車時聽。能夠反覆玩味的書，或是意味深長的短歌、詩或名言集等古典名著，一定要讓它深印在自己的腦海中才有用。

感覺麻煩時，可利用最近書店販賣的文學錄音帶。美國的書店中這類的錄音帶書非常充實，國內也開始出現這類閱讀錄音帶。甚至有些圖書館裡也有一些錄音帶。

總之，用耳朵聽、用頭腦想像，因此能夠形成擁有想像力的頭腦，尤其會使右腦更爲活絡。

錄音帶閱讀是並行處理，也就是「一邊做……，一邊閱讀」（例如一邊走路一邊閱讀、一邊跑步一邊閱讀、一邊洗臉一邊閱讀等），能夠全部處理，有效地活用時間。活用較少的時間，使得情報的吸收量一舉倍增。

我利用星期六、星期天的早上，在自宅附近有水池的公園享受三十分鐘的散步之樂，前一天會從圖書館借錄音帶，將三十分鐘的心理學演講的錄音帶聽一次。這可說是一種健康散步，也是珍貴的閱讀時間，使我擁有更多的時間。

◉用錄音帶聽使心靈豐富的古典名著

著名的閱讀家昭和電工的鈴木治男名譽會長，每當遇到別人時，都會建議看古典名著。鈴木先生所說的理由如下：

在現代想要車子、想要房子、想要錢，想要過更快樂、更舒適的生活，這是一個享樂主義的時代，但是人類不會因此而感到滿足。生存在這個時代中，自己的生存意義到底是什麼，自己想要尋求更深入的東西，這時古典名著有效。

因爲古典名著是在長期的時代潮流中一直沒有改變，能夠給予衆人的心靈生命喜悅與生存意義的超長銷書籍。

聖瑪麗安娜醫科大學學長長谷川和雄認爲，閱讀有被動消極的閱讀及積極攻擊的閱讀。

現在，擺在書店中的各種新發行書籍——當然，其中也有一些優秀的書籍，能夠持續銷售——，不過，大部分書籍都在時代選別的波濤中消失了。所以，最初想要這些有新想法和知識之新書的，是中年的上班族。他們看起來好像非常積極，但是事實上卻是爲了得到不會趕不上他人的知識，因而被動消極地閱讀。

只是一味地追求這些新的知識，或是沒有經過時代評價選別的新書。整個人的生活方式或想法都被書所擺弄，在精神形成、哲學形成的骨骼部分會有缺失。有可能成爲一個基礎骨骼無法形成、不穩定的人類。

因此，一定要掌握這類新知識的要點。也就是說，以速讀的方式翻閱新書，趕緊看完。

但是，古典書籍則可以透過字裡行間的作者與主角的對話，接觸其人格，磨練自己，加深自己的人格，屬於應該要好好地閱讀、學習的書籍。

古典名著經過各種年代的經驗，同時也配合當時的經驗深度而形成。它隨著經驗的累積，更能加深個人的收穫。這種古典名著是一種積極的、攻擊的閱讀。

年輕時也許沒有時間看，但是配合自己精神的成長，可以看這一類的古典名著，這樣子就可以豐富自己的心靈。

只要確立自己心靈的根底部分，今後不管發生什麼事情，不管在任何一個時代中，都只是應用問題，只要基本建立了，一切問題都能迎刃而解。

但是，有時對於古典學習卻不知該從何著手，因此，我建議各位使用次項所叙述的，「錄音帶閱讀名作系列」。每個月聽二卷時間爲二小時的錄音帶，一共四小時，就能聽完名著。

聽錄音帶在閱讀本身並不會使眼睛疲倦，而且可以聽好幾次，仔細地玩味，也能夠隨著自我的成長，每一次都得到更豐碩的收穫。

⦿錄音帶閱讀名作古典系列

在情報先進國美國等地，利用錄音帶聽哈姆雷特等名作之風非常普及，『「超」學習法』的作者日本東京大學的野口悠紀雄教授也加以利用，國內也漸漸出現這種錄音帶。

我搭車上班時，感到最快樂的一件事，就是聽錄音帶閱讀。即使在擁擠的車上，也能進行這種閱讀術，我經常聽健康能率研究所發行的閱讀錄音帶，以豐富心靈。

如此一來，能夠豐富心靈，招待你進入一個充滿香氣的世界。實在是非常豪華的心靈大餐。

雖然身體處於擁擠的車上，但是心靈卻能夠進入芳香的名著世界，使你忘卻浮世，擁有各種人生及不同世界的類似體驗。

世界文學及古典文學名著是經過一長段時間和時代的波濤，從許多人中選出來的超長銷、超暢銷書籍。能鼓勵、啓發許多人展現實績，因此，直到現在仍是許多人喜歡的人生伴侶。

上班族必須了解，人不光是工作才能生存。如果光是只有工作，則在世上可能惡名昭彰，成爲公司人或工作機械。

退休後無法再到公司上班時，個人的人生立刻變成空白，形成虛脫狀態，不知道自己的人生到底是什麼，虛度時光而後悔莫及。

在公司中工作的是人。要懂得人類的生存之道，知道人生到底是什麼，這才是人生的骨骼，不管在任何環境中或是遭遇任何考驗，都能夠充滿喜悅，必須走向這個強力的人生之路才行。

透過閱讀，除了可以教你一些技巧及做生意的方法之外，也能豐富心靈。爲了建立一個充滿喜悅的強力人生，需要讀一些世界文學或古典文學名著。

自己的人生是什麼？金錢是什麼？名譽是什麼……？能夠回答這些問題的就是古典名著。是鼓勵自己、啓發自己的加油歌。多聽幾次錄音帶，或是暫時停止以玩味名言，多聽幾次。即使身處擁擠的車上，人生中的許多好友也會來拜訪自己。

這就是錄音帶閱讀、音響閱讀術。因爲眼睛不會疲勞，因此以往放棄的托爾斯泰或杜斯妥耶夫斯基等大文豪的長篇巨著也能聽到。

用耳朵多聽幾次，一定可以豐富自己的心靈與人生。即使在忙碌中也能毫不勉強地閱讀文學作品。

所以，即使在擁擠的車上，也能讓世界和古典文豪的名著陸續登場，所以車上的確是很好的書齋。

⊙齊藤式一個月速讀五十本書的優點，誰都能立刻實踐、長久持續

到目前爲止我已經叙述了自己一個月讀五十本書的實踐例，很多人也許會感到「這種方法我也能辦到」。的確，其優點就是看完本書後能夠立刻實踐、實行。從今天開始就能利用速讀閱讀，使你的腦海中擁有更豐富、更有益的情報知識。

立刻對實戰有幫助的理由，就是閱讀分爲三系列，互相幫助，減輕各系列的負擔，使其效率化。負責廣大範圍的「速讀系列」及負責深度的「精讀系列」和負責豐富性的「錄音帶閱讀系列」等三系列，分別使用於閱讀，就能增加閱讀的範圍、深度及豐富性。

能夠長期實踐的理由，就是重視速度及理解力。因爲能理解，所以能產生得到知識的智慧滿足感。

人類是理性的動物，如果不了解就無法繼續進行。尤其閱讀是最高度的智慧作業之一，如果不能了解時，無法長久持續下去。能夠持續是因爲閱讀的速度很快，而且正確地了解所致。

能夠立刻實行的理由，就是這個速讀法不論任何人採用，剛開始時都能憑直覺、無意識的方法著手進行。齊藤式速讀法從大家若無其事地站在那兒看書，以及跳讀等

方式開始，然後再進行科學的分析、分解磨練技術。也就是說，從自然體開始，然後逐漸提升為進行科學的分解。和運動科學類似。

當然，和運動同樣地，普通的自然體無法使技巧純熟，因此，必須藉由科學的分解，分析才能確實提升技術。所以，任何人都能做，而且越磨練越能提升技術，是非常深奧的智慧技法。

實踐一個月速讀五十本書的方法，對我而言的確得到了很大的利益。其中之一就是自己的視野飛躍地擴大。當然，是以我的專門範圍「身心健康與能力開發」為核心，朝周邊擴大。

也就是，從自己周圍的健康開始，將範圍擴展到東西醫學、心理學、精神醫學、環境及外國等，所以即使我是普通的上班族，也能夠出版十一本自己的著書。

不光是擴大視野的範圍而已。也加深了思考的核心。因為一個月能看五十本書，所以一定會出現想要多看幾次、熟讀、精讀的書。

也就是，兼具興趣和實益的一個月五十本速讀法，如果讀者們能學會，一定能夠享受人生之樂。

從次章開始，是為了讓各位確實熟悉速讀法的實踐訓練教材與解說，希望各位一定要嘗試。

第4章

訓練篇

Training

一日三十分鐘，
一個月
可以讀五十本書

⊙達成一個月速讀五十本書的訓練課程

在此之前，說明了各種速讀技術。尤其是我個人所整理的十項速讀理論、法則，美國的十項速讀技術，十位從事智慧型工作高手（包含二位美國總統）的速讀法等。

也許動作較快的人，早已開始應用於實際的讀書方式了。

這當然是筆者所樂見。另一方面，也有人自己訓練、練習這些技術，而確實擁有專長吧！本章是針對這樣的讀者而寫的。

因此，準備了以下的訓練課程。每日十五～三十分鐘，依照訓練課程做練習，並確實實行，一定可以大幅提高效果。

A．基本技能訓練

在最初的練習①（預習測驗），請測試自己目前的讀書速度。如此，就能掌握日後的進步狀況。其次，利用實際的文章教材，測試速讀的各種基本技能。全都是幾分鐘就可讀完的短文。另外，備有八種訓練用文章教材，可以反覆使用於前章之前所提的其他各種練習。

B．基礎訓練

調整身心狀態的基礎訓練，是爲了達成高效率又有效果的讀書、速讀。其中包括培養集中力的呼吸訓練、視野擴大訓練、視力回復訓練或腦內革新訓練等，這些都有助於讀書以外的能力提升。因此，每次約五分鐘當作預備運動來做，更具效果。

C．階段式應用訓練

這是本章的訓練中，最重要且是其他書上沒有的，本書獨特的訓練法。內容是，用科學方式分析速讀，將它分成十二個基本型的閱讀法，從中分成初級、中級、高級，做階段性的學習，同時提高讀書速度與理解力的方法。階段性而自然地習得此十二型後，可以隨著所閱讀書籍內容的重要性，或個人需要，變化速讀型與讀書速度，實行最具效率而充實的戰略式速讀。

D．每月五十本，實踐閱讀訓練

這應該說是進入主題，而非訓練。請應用於實際狀況。將曾經學習到的基本技能、基礎訓練、應用訓練，立即活用於實際的讀書中，除了學會這些技術，還能透過訓練中所做的閱讀，達到增廣見聞的一箭雙鵰之利益。

這些訓練課程的構成是，在本章的A～D各節，會做各項說明，根據這些項目，再利用卷末（附章）的各訓練教材做練習。因此，閱讀說明時，請參照相對應教材的各個圖、表。同時，實際做速讀訓練後，可以反覆參照各項說明。

⊙速讀速成的基本原則和訓練時的心得

速讀基本中的基本是，用一次的視點，盡量抓住較多含意概念的範圍。每一個單字，並非零散的部份，而是形成一個完整思考的單位。所以，掌握更多有一個完整思考概念的單位，是速讀的基本。

下面兩個方法，也可以習得上述的基本。

①第一，想學會本書所介紹的各種速讀訓練而做練習時，必須在意識下，注意速讀的基本。就是剛才所說的，一次掌握具有較大概念的單位。

②第二，今後在工作上或生活上，所閱讀的任何書籍、報紙、雜誌、資料、信件等，儘可能刻意利用曾經學過的各種速讀技法。如此則能加速讀書速度和理解力。

那麼，接著就開始速讀訓練課程吧！

A・基本技能訓練——學習加快讀書速度、提高理解力的基本技能

⊙速讀的基本要素是速度和理解

速讀的基本要素有兩個，讀書的「速度」和讀書內容的「理解」。讀書的速度可以用一分鐘幾個字（WPM：Words per minutes）的方式，做正確測試。「理解」是指對書本內容理解多少。速度和理解，彷彿汽車的兩輪，一邊缺失，就無法取得平衡。

速度和理解，就像身高和體重，兩者都不能失之偏頗。如果適當地練習，速度和理解都能均衡成長。就像成長期的孩子，身高和體重均衡地增加一樣。成長過程中，只有身高往上攀升，而體重維持原狀，顯得搖搖欲墜；或不再長高，體重卻有增無減，變得遲鈍笨重，就不能活動自如。讀書也是一樣，只有速度超前而不能理解，彷彿長得瘦高的孩子，枉費傲人的身高，卻缺乏熬得住人生哲學、繁複思考的骨骼。

因營養不足，而豐富的心智不能發育，變成無法在人生中有充實成果的人。利更勝於弊。這種人容易跌倒、疲倦，缺乏耐力。

想要獲得速度和理解兩者的均衡發達，仍需要技術。這個技術可以滿足需要儘速攝取更多知識的人、企劃力當飯碗的營業員、研究者、技術家、律師、醫師、編輯者、作家等的需要。而本書正是爲這些知識人，提供這項技術。

這些知識人當中，某些人工作上的文件或書籍，都非常重要而不能有所遺漏，必須一字一句仔細研讀，因此，呆板地以爲不需要速讀。其實，唯有這種人，常常每天被龐大的文件、書籍窮追不捨，必須閱讀的書類文件一味地水漲船高。相信有許多人，希望有一個自己可以信服的方法，能夠加速讀書速度和理解力。本書就是這些人的希望。

任何人如果讀書速度和理解力的增加，像身高和體重均衡地發育，個人的業績，當然有目共睹。它會以商業上的企劃增加、營業成績上升、論文或研究發表的次數增多等實績呈現出來。

反過來說，如果沒有出現這些成績，可能速讀技術上有某些缺憾。

衷心希望，各位讀者能利用這本教材，以具體而自己信服的方法，做技術訓練，實際提高個人的實績。

一般的讀書速度的分佈

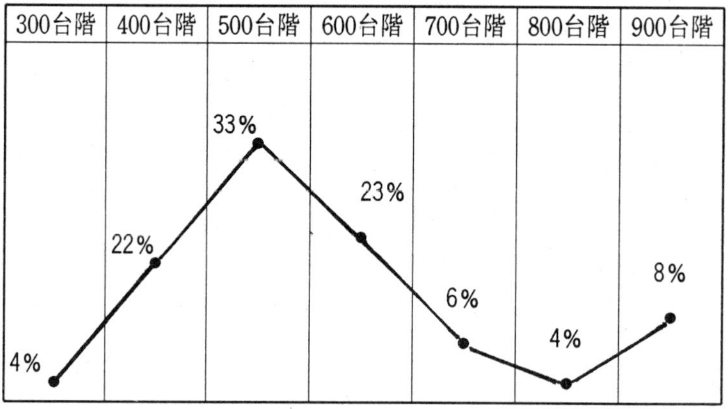

⊙測驗你的讀書速度——預習測驗

（參照訓練①一八二頁）

訓練之初，先了解你目前的讀書速度。需要花點時間，但教材是從文豪夏目漱石或名隨筆家寺田寅彥的作品集中精選而來，可避免閱讀後乏善可陳。

閱讀方式是，以測驗訓練前你目前的讀書速度爲目的。希望你在不急躁、輕鬆自然而能理解的狀態下閱讀。這是測試日後進步情形的基準，因此，囫圇吞棗地閱讀，將無法了解自己的進步狀態。

所以，希望你在舒適、自然的狀態下閱讀。不求理解只求快速把文章過目，並不符合本書均衡提升速度和理解的宗旨，因此，請務必在理解中閱讀。覺得比自己所預測稍慢時，可能是不習慣所致，不必掛意。因爲，這表示日後將有變得更快的可能。

另外，根據筑波大學名譽教授佐藤泰正先生等的調查，訓練前的讀書速度，大約如一三七頁表所示。從這個表可看出自己大概位於哪個階段。

而「讀書速度和理解度的測定要領」，依下列方式進行。

■閱讀文章後測量時間

①準備一個定時鐘或有秒針的錶，把一八二頁預先測驗用的文章，從頭到尾讀完。再測定閱讀所需時間。

②文章的開頭和結尾有「閱讀開始」「閱讀完畢」的紀錄欄，先填寫後，再測量閱讀時間。

■進行理解力測驗

閱讀完畢後，做一八四頁的「理解力測驗」。

回答測驗理解力的問題，用二三六頁的「解答表」記分。五題中有兩題以上正確就OK。

■計算分速（讀書速度）

把閱讀所花的時間，換算成秒，把文章的總字數，除以所需時間（秒），就算出每秒鐘的速度。把它乘以六十，就是每分鐘的速度，也就是分速。換算成公式如下：

讀書速度（分速）＝〔總文字數÷閱讀所需時間（換算成秒）〕×六〇

■有關文章的總字數

各文章（練習問題）的總字數，記載於各項末欄的上段，如果使用沒有記載總文字數的一般書籍，用下列方式計算。

換言之，測量每頁的文字數，逐字計算費時冗長，只要算出某行的文字數，再乘以行數，就是每頁的總文字數。而從B教材所選的文章，各頁設有表示各行的文字數、行數、總文字數的欄框。

■記載結果

在二三六頁的結果紀錄欄內填寫結果。這有助於了解日後的進步狀況。那麼，準備，開始！

⊙消除妨礙讀書速度的四種身體習慣

你是否利用前項的預先測驗，測出自己的分速（WPM：Words per minutes）？接著，將拭目以待利用速讀訓練，可提高分速到什麼程度？當然，讀書是用腦的作業，如果書籍內容簡單，讀書速度自然增加，內容如果是技術性又深奧難懂，當然會降低讀書速度。所以，千萬不要爲結果一喜一憂。

而四種身體習慣，會妨礙讀書速度，有這些習性的人，應該戒除。讀書是知性作業（心智活動），心智（意識或心靈）的活動遠勝於身體的活動，如果受囿於身體習慣的枷鎖，自然礙手礙腳，降緩讀書速度。

①停止音讀（默讀）改成視讀

第一個阻礙讀書速度的身體習慣是，閱讀時動口讀書。換言之，就是音讀（默讀）。即使不出聲，只要口內的舌頭或喉嚨等肌肉，配合文字，感覺有所震動，就是默讀。音讀（默讀）時，即使意識上想讀快一些，讀書速度不能超越說話時的速度，亦即，口腔的肉體動作之速度。舉例而言，日本NHK播報員的說話速度，一般分速是四百字，說快一些，頂多八百字。因此，用音讀再快也不能超過這個速度。

所以，察覺自己音讀時，必須刻意放棄音讀，改成視讀（不振動口腔而理解文章意思）。換句話說，用眼讀書而不關係發音。這個方式可以讓你的音讀速度，變成速讀速度。著作暢銷書『超學習法』的作者東大教授野口悠紀雄先生，在該書中也提到：速讀的基本，是從音讀轉移爲視讀，可謂正中要點。

②用手指逐字而讀

有些人會用手指逐字地指著文字，這也只能達到手指的速度，自覺有這個習慣時，立即停止。因爲心智、意識的動作遠勝於手指。

③逐字閱讀時，頸部和臉的方向不變，只動眼睛或意識。

理由和右記相同。書籍面積並不大，不動頸部、臉部，只移動眼睛或意識就足夠了。

④在同一個地方反覆閱讀

當然，閱讀內容非常深奧的書時，可能需要逐字細讀，但一般的情況，只需往前進，並且刻意這麼做。有些人會擔心：只往前進，看得懂嗎？其實，一直往前也記得住。

在意識下察覺到以上四個習慣時，隨時一再地消除，擁有瞬間速度的意識活動，會從遲鈍的肉體動作獲得解放，速度將急速增加。像從鎖鍊掙脫而出的鷲一樣。當然，原本沒有這類習慣的人，會有較優勢的開始。

⊙刻意快讀（訓練②一八五頁）

消除妨礙速讀的肉體習慣，並在內心決定快讀時，很意外地會快速前進。當你從家裡走到車站，如果注意到必須趕時間搭車時，你的腳步一定會加快。你會發覺腳步超過他人，遠比平常的速度快。

同樣地，有無刻意快讀，速度完全不同。在速讀上，在意識下刻意快讀，是非常重要的。

速讀時，以下三點非常重要：

①加速視點移動的速度

②縮短視點滯留的時間

③更加擴大在視點滯留中作爲掩護的「具有意義觀念」的單位。

但眼睛的活動，是跟從在心理活動之後，所以，要注意以下各點：

④意識下，刻意用心快讀。

⑤要刻意掌握更寬大的「具有意義觀念」單位，眼睛自然跟得上。

⑥明確掌握讀書的目的。這次閱讀的目的是什麼？只爲了追根究底嗎？獲得情報嗎？了解重點嗎？純屬興趣嗎？把這些目的，換成簡潔的語句，自己說說看。

讀書時要記住以上每一個事項，一時之間恐怕有些困難，但只要看過之前的說明，應該有大致的概念，儘可能在意識下實行，隨著讀書經驗的累積，速讀能力會漸漸成長。

注意以上的要點，並且刻意做快讀的動作，再進行以下的訓練②（一八五頁）。相信你的速度，一定遠超過從前。分速的算出法或理解度的測定，和前項相同的要領。

◉閱讀關鍵字的練習（訓練③—一八八頁）

關鍵字如果適用二八法則，通常在單字群十語中，會出現一～二個字。所以，只要閱讀關鍵字，閱讀量大約只有五分之一。

換言之，可以培養五倍的速度。這是齊藤式速讀的各種基本技術之一，務必反覆練習，養成習慣。

那麼，來看這個例題。請一邊掌握訓練③（一八八頁）文章的脈絡，一邊抓住關鍵字而往下閱讀。好像爬山時穿越河谷一般，雙腳不落水，只踩著河流上的岩石，一步步跳著前進的感覺。這和避免掉入水中變成落湯雞；耗費多餘的精力而快速穿過河谷的心態類似。

⊙摘要的練習（訓練④一九〇頁）

這是摘要和閱讀關鍵字的組合應用型。為的是訓練把你所需要的特定課題，詳細而迅速掌握的技術。

而練習問題④是，在您找到特定主題「野玫瑰」之前，進行水平閱讀（縱寫文章時），快速通過。關於途中的文章，任意跳過。彷彿當你閱讀報章雜誌時，跳過不感興趣的地方，而詳細研讀感興趣的部份。要領和每天早晨花十五分鐘讀完，相當於一本書文字量以上的報紙、雜誌是一樣的。

當碰到你所需要的特定主題（這次設定為「野玫瑰」）時，就降低速度。然後詳讀有關特定主題的內容。

所需時間在一分鐘以內。儘可能快速進行。最好是比此速度更快。也試試後面的理解度測驗。理解度測驗當中，只有有關前述特定主題的問題。那麼，準備，開始！

⊙文章類型認識的練習（訓練⑤—九三頁）

乍看一下練習問題⑤，想想這是從七十八頁所陳述的文章類型中的哪一個類型？掌握最適當的閱讀法，再看它的練習問題，測驗速度，並作理解度測驗。

這是爲了訓練，再次注意到，文章有各種型態，應掌握適合而有效率的閱讀法。詳細說明在七十九～八十頁，在此省略。

⊙利用心象圖的圖解化練習（訓練⑥—九五頁）

書本是作者在文章中做各種說明。而文章依其性質，使字句依序排列。但有時候難以了解文章中的現實面貌。

因此，將這種時系列的表現，利用腦海中的心象圖，在腦中做圖解。換言之，將它組織化。訓練的方式是，實際在紙上畫圖。當訓練一陣子後，腦中就可以作圖解。

做法是像一四六頁上方一樣，作成圖表（圖解），最後只要變成像練習問題⑥的理解度測驗所看到的狀態就可以了。

藉此，巴士導遊（作者）的時系列說明，會被轉換成接近於現實的狀態。換言之，應用想像力，把文字組織化。先把文章分離支解，然後在腦中，以主要概念爲中

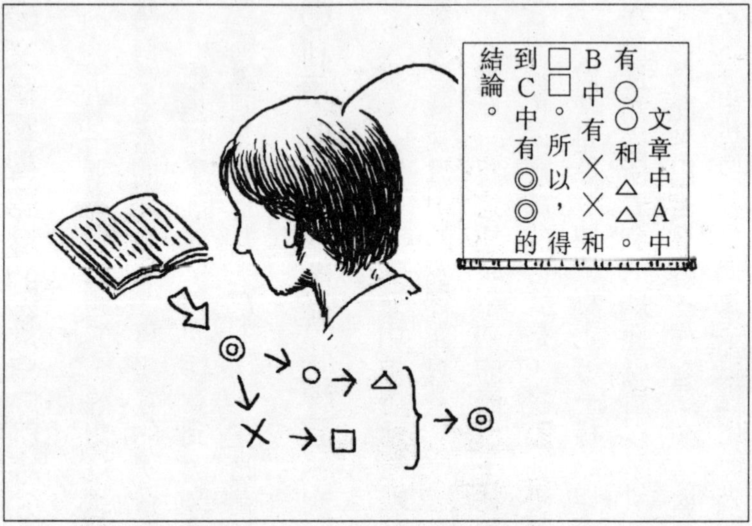
文章中A中有○○和△△。B中有××和□□。所以，得到C中有◎◎的結論。

利用腦中的心象圖（黑板）做整理。

心，重新組合組織後，文章的片段收集，會搖身一變爲，以主要概念爲中心又具有組織的一個完整的思考單位。這是運用自己頭腦，重新組合過的眞正理解。

再費力地一字一句精細研讀，並不見得可以自我消化而得到理解。唯有利用吸收情報的頭腦重現資料，才成爲自己的東西。

亦即，把文章消化、吸收、分解，正如身體的茁壯必須靠分解所攝取的食物，再重新組合成必要養分一樣，再一次變換成自己的血、肉。這種腦部訓練，剛開始可能頗費時間，但習慣之後，速度會漸漸變快。

那麼，用速讀看過練習問題⑥，在腦中描繪心象圖，試著將它轉換成圖解型態。

⊙主要構想法的練習（訓練⑦一九八頁）

呆板的讀者，是讀一個個單字或小單位的語詞，而靈敏的讀者，則用一單位、一視點的方式，閱讀具有意義的、較大構想單位的語群。

恰如譬喻「見木不見林」。呆板的讀者走進一個個的林中，只看見一顆顆的樹木，而看不見整體的森林。爲確認每一顆樹木，以求了解整體面貌，反而搞不淸楚整體狀況。但是，靈敏的讀者從一開始，就先環視整座森林。

讀書也一樣，個個單字是零件，每個單字組合成一個構想單位。所謂讀書，是理解構想的作業，每個單字只不過是構想的構成要素。換言之，不是掌握一個個單字，而是一個構想單位。

並非勉強擴大眼睛的視野，或快速移動視點，而是刻意快速掌握可以理解、具有含意的構想單位。從更寬廣又具有意義的語群中，盡快抓住主要構想的主軸。

掌握構想，是一種心理作業，從事心理作業（智慧作業）時，眼睛（身體）會跟從。這麼一來，視點滯留次數大幅減少，視點移動速度也急速變快。如此，讀書速度也一併加快。

這個觀念是爲增強速度和理解的智慧型速讀術中，最重要的概念之一。

請做練習問題⑦。

⊙跳讀（skimming）的練習（訓練⑧二〇一頁）

在此之前，我們學了各種速讀的技術。摘要速讀、關鍵字速讀、主要構想法、心象圖解法……。也許你已經找到，經由這些練習，可以提高讀書速度和理解力，又適合自己的最佳方法。

同時，說不定也發現如何組合這些方法。而且，已經懂得如何分別使用，根據讀書目的的不同，使用不同的速讀法。

總之，把在此所學過的這些技術，利用右記的組合，根據文章內容，尋找並活用最適合自己的方法，正是促進速讀進步的秘訣。跳讀是綜合這些速讀技術的方法。彷彿海鷗悠遊於水上，採食必要的餌一樣，用你最擅長的速讀技術，在文章上馳騁。

請你用最適合的方法或組合，做練習問題。

首先介紹一個尋找「食物」方法中，非常便捷的方式。它稱為「標題法」。碰到標題，就改變為疑問型。譬如，練習⑧中，標題上有「漫畫」，閱讀時把它改成「什麼的漫畫?」的疑問型。如此，它成為最重要的關鍵字，只要找出與它相關的內容，閱讀時會變得輕鬆而快速。

那麼，請在二十秒內，速讀這個例題（標題多的文章）。你覺得速度變快許多了吧。準備，開始！

⊙報紙、雜誌的水平閱讀

報紙或雜誌和一般的單行本比較下，每行的字數較少。這時如果應用水平閱讀或垂直閱讀的技術，閱讀速度會增快許多。以前，視線的移動，可能是讀完一短行，再移到下一行的開頭，反覆進行成鋸齒狀。

因此，如果閱讀報紙、「新聞週刊」等雜誌，因為它們是直式寫法，所以，把視點放在行的中心部，往中心部的左邊移動視線。視點不做鋸齒運動，而刻意擴大水平的視覺，朝左邊水平移動。也就是水平閱讀。

剛開始每隔一行，接著每隔二、三行移動視點。縱橫擴大中心點的視界，以中心點周邊的語詞為中心，主要做關鍵字的視讀。如果，你在這個過程中找不到文章的脈絡，除了中心部外，用視讀在兩側找尋關鍵字，以掌握脈絡。

盡量以關鍵字為主，把視野做垂直、水平擴大，理解文章的大意。要領是視點放在行的中央，做水平的視線移動。碰到英文報紙或英文雜誌等英文橫排的刊物時，也依同樣的要領做垂直閱讀，就可以應用。

這個練習問題，當做另外的範疇放在一五一頁。文例是「朝日新聞」的「天聲人語」，其中談到美國總統甘迺迪的速讀法，也介紹我所開發的速讀法。

⊙報紙、論文的情報構造與閱讀法

日文報紙從文字數來看，依我個人計算，早報一日分有二十四頁，約四十二萬字。如果是一般版的書籍，大約是十三萬字的三倍量字數。但是，如此龐大的情報量，任何人每天早上卻只花十五分鐘左右，就看完報紙。除非閒來無事，否則沒有人花二～三個鐘頭看一份報紙。

換言之，看報紙的人在無意識中，每天實行用十五分鐘速讀相當三本一般版的文字量。所以，無須自怨自艾缺乏能力，應對自己具有速讀能力產生信心。並且，從看報紙的秘訣學習閱讀一般書籍的訣竅。

那麼，爲何可以那麼快地看報紙？因爲，報紙的編排上下過一番功夫。

只要根據二八法則，找尋文章中重要的兩成文字，就知道答案。代表媒體之一的報紙，的確爲了方便早晨忙碌而想節約時間的讀者，越重要的情報越往前集中。

正如一五三頁所示，新聞在一開頭有①「標題」。它是把整篇報導濃縮成一行文字。其次，在一～二行有②副標題。這是主標題的補充說明。而且，在③十行前後有

天声人語

斜め読み、などという。さっと目を走らせて、何が書いてあるかを頭に入れる。本にせよ書類にせよ、忙しい時に速く読めば時間の節約になる。速読でよく知られたのはケネディ米大統領だった▼米国では速読術がさかんである。ひとつの方法は、横書きの文が詰まっているページの真ん中に、上から下へ、頭の中で線を引く。その線に沿って視線を動かし、ページの中央部にある単語をとらえてゆく。そうしながら、線の左右、できるだけ広い範囲の単語をも拾う練習をする。やがてはページ全体を、という方法だ▼斜めならぬ、いわば縦読みである。日本でも近ごろは速読術への関心が高く、学ぶための教室まである。眼球を速く動かし、視線を停滞させない訓練が基本らしい。速読を研究して本を書いた斉藤英治さんは「二八（にっぱち）の法則」というものがあるという。本のページ数の二割に、求める情報の八割が含まれている▼その二割をうまく探して読む。さらに、商品の納期を考える時のように、本を読み上げる時間を、三十分なり一時間なり、あらかじめ設定する。集中の効果が出る。それで月に五十冊以上を読むのだそうだ。たしかに、限られた時間内に望む情報を探し、取り出そうという場合には、こうした速読術は役に立つに違いない▼月に五十冊以上も読む、という人がいる一方で、一年間に一冊も読まない人が三〇・九％もいる。総理府の調査だ。だが、この一年間に本を読んだと答えた人は、十年前より八・六ポイント増えて六九・一％。「週休二日制の導入などで、総じて読書のゆとりが出てきた」というのが総理府の推測だ▼本にはいろいろな読み方、楽しみ方がある。本の中でさまざまな人生に出会い、深い感動を覚えることも多い。速読とは大違いの、味読という、いい言葉がある。ゆっくりと味わいながら本の世界にひたる。子どもの時に読んだ本の再読もぜいたくな喜びだ。読書週間が二十七日から始まる。

（朝日新聞89年10月24日より）

摘要。這是濃縮整篇報導的要點集。

接著，進入④本文。本文中也在最初的部份提出結論，只要閱讀剛開始的部份，就可大致掌握概要。越往下越是枝微末節的部分。

所以，標題放在前頭，要點集中於剛開始的部分，讀者根據自己所擁有的時間，在無時間之下，只閱讀最初的部分，就能掌握情報。其餘則挑選自己有興趣的部份。

另外，③摘要或④本文，像前項一樣，做水平閱讀。

換言之，把要點集中在最初的兩成部分，八成一般性的必要情報則擺在一起。所以，可以只閱讀所必要的內容。

像這樣可以節省時間，每天又能輕鬆愉快地閱讀具有這些份量的早報。

情報媒體代表之一的報紙，已經設計好在短時間內可以閱讀所必要之部份。同時，也讓讀者在短時間內簡單找到必要的內容。

論文或內容審愼的重要文件，只要閱讀文頭和文末，亦即整體二成內的文章，大致就能掌握其概要與結論。

因此，每天早上看報紙的人，自然已經具有摘要去繁的要領及速讀的資質，對自己應抱有信心。爲了讓讀者建立這樣的自信，請看一五三頁，刻意依編號的順序，讓視線快速朝箭頭方向移動。

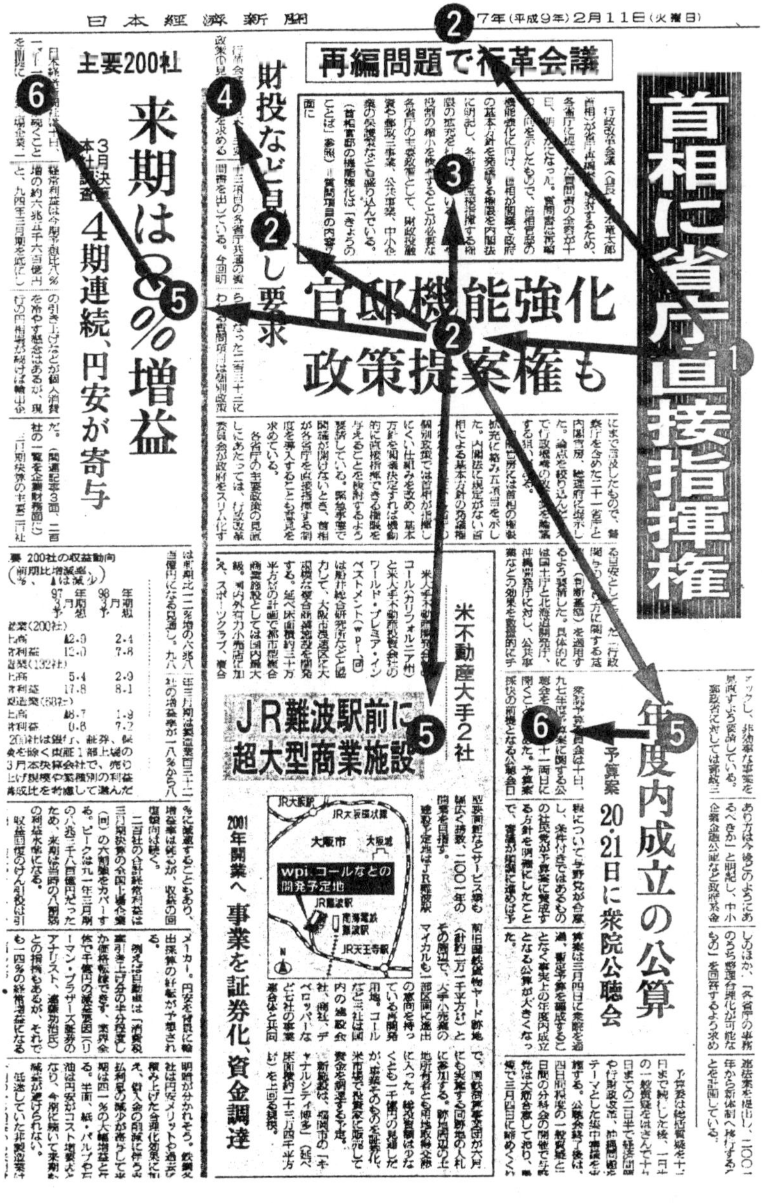

日本経済新聞 1997年(平成9年)2月11日(火曜日)

再編問題で行革会議

首相に省庁直接指揮権

官邸機能強化 政策提案権も

財投など見直し要求

主要200社 3月決算本社調査

来期は8%増益

4期連続、円安が寄与

表 200社の収益動向(前期比増減率、%、▲は減少)

	97年3月期予想	98年3月期予想
全産業(200社)		
売上高	▲2.9	2.4
経常利益	12.0	7.8
非製造業(132社)		
売上高	5.4	2.9
経常利益	17.8	8.1
製造業(68社)		
売上高	▲8.7	1.9
経常利益	0.8	7.2

200社は銀行、証券、保険を除く東証1部上場の3月本決算会社で、売り上げ規模や業種別の利益構成比を考慮して選んだ

米不動産大手2社

JR難波駅前に超大型商業施設

2001年開業へ 事業を証券化、資金調達

予算案 20・21日に衆院公聴会

年度内成立の公算

B・基礎訓練——利用腦內革新的身心調整

這是為了實行有效率又有成果的讀書、速讀，所做的調整身心狀態的訓練。

◎①腦內革新、集中力強化訓練（一分鐘）（參照教材二〇四頁）

若要迅速又能理解地閱讀，集中力是不可或缺的要素。其實，集中力並非造成全身僵硬、緊張，而欲集中心思的一種吃力作業，相反地，放鬆心情幾乎帶著微笑的狀態，最能集中精神。

心情放鬆讓腦內分泌快適賀爾蒙，使腦細胞和身體細胞活性化，當然可以輕鬆地集中心志，不僅迅速且能在理解中閱讀。那麼，接著爲各位介紹，在腦內分泌快適賀爾蒙，集中精神的訓練法。

這個集中法不僅有助於讀書前的聚精會神，與重要客戶會晤、在衆人前做展示、考試、面試等重要場面都有幫助。

這個方法取其作法的字首，命名爲ＥＤ３Ｓ法。

■ED3S法

首先，ED（Everyday Dream）如果直譯，是指「每天夢想」！這是模仿某漢堡店的標語（Everyday Lowprice）而來。這並非白日夢，而是能成就你的希望，充滿遠景、更令人期待的計劃之夢。

閉上眼想像未來渴望擁有的景況，光是想像就令人喜不自禁的自己美夢。請你現在在自己腦中做這樣的想像。儘可能鮮明地。尙無具體計劃者，請盡量把想法具體化。

或者，這個速讀訓練也可以是漸漸擴大的心象，或不久將來的計劃、階段。儘可能是積極而有希望的計畫。當擁有令人期待的夢想時，會分泌腦內賀爾蒙，它會使腦細胞和體細胞活性化。令人不可思議的是，懷抱夢想時，體內的疲勞會自然消除。

其次的3S是由以下三個字組成。

〔S：Smile〕　笑臉、微笑。臉孔發出笑意。這時，臉上的表情肌，變成笑容的臉形，造成必要肌肉的鬆弛，形成由內而外招福進來的態勢。心情也變得開朗、愉快。眞是奇妙的現象。

〔S：Strait〕　背脊伸直。背脊筆直伸展，會產生自信，心情愉快又精神抖擻。背脊伸直，但身體其他部份則放鬆。

〔S：深呼吸〕這時的呼吸保持自然。換言之，吸吐氣時，比平常緩慢而深。注意以下事項，閉上眼睛反覆這個呼吸動作一分鐘。保持輕鬆自然的心情，記住ED或前面的兩個S，做深呼吸。而深呼吸對速讀有以下三個效果。

(1)利用深呼吸，腦內會獲得較多量的必要氧氣，排出不必要的二氧化碳，使腦活動變得活潑。

(2)調整自律神經機能，使全身機能活潑。尤其是腹式深呼吸，會上下移動橫膈膜，從而刺激附近內臟或賀爾蒙、自律神經，使其機能活潑。

(3)緩慢做深呼吸時，情緒會漸漸平靜，精神可以集中。同時，深呼吸對自己而言，是最輕鬆自然的方法，只要深深地吐氣、吸氣。

吐氣時，用完全排除肺部內汙穢的空氣，以及一切不潔想法、煩惱、痛苦的心情，一口吐盡。

吸氣時，則想像把喜悅、精力、嶄新的企圖等完全吸入。

只要做一分鐘這種方式的深呼吸，心情可充分獲得平靜而舒暢。不僅是讀書前，還可應用在會議、面談、演講等重要場合之前的心理準備。偶而持續作五分鐘，就是了不起的冥想了。

⊙②固定點凝視訓練（一分鐘）（參照教材二〇五頁）

用一分鐘像穿洞似的凝視正中央的●（黑點）提高心靈活力、集中力的訓練。呼吸和姿勢保持前述的方式，更能達到效果。

二〇五頁是圖解化的教材，若是一般的書籍，則在心裡把●置於中央。這時，剛開始成爲背景的文章，不會判讀也無妨。儘可能擴大視界，把一整頁的內容盡量納入視界，並凝視正中央的●。

從前的職棒超級打擊王長嶋或王貞治選手曾經說過：集中精神凝視投手投過來的球時，球瞬間變大，彷彿停止了，就是要培養這樣的集中力。

⊙③視力回復訓練（一分鐘）（參照教材二〇六頁）

如圖示，藉著交互看近距離（A點）、中距離（B點）、遠距離（C點），可以使調節眼睛鏡頭厚度的眼肌肉產生運動，而能迅速配合視力遠近的焦點。

做這個訓練，也是一種眼睛體操，有助於消除眼睛疲勞、回復視力。讀書途中覺得眼睛疲勞時，可以應用。

⊙④讀視野擴大訓練(1)(一分鐘)(參照教材二〇七頁)

⊙⑤讀視野擴大訓練(2)(一分鐘)(參照教材二〇八頁)

④是一整頁,⑤是翻開二頁的書,迅速看一下用以擴大閱讀視野的訓練。⑤的訓練,參考上是以右頁爲記號,左頁爲文章。但是,和②項一樣,首先看中央的●,以一秒或〇.五秒的間隔,將視野擴大到可以看見它外側的圓,大橢圓內的全體。同樣的要領,再擴大到其外側的圓。當擴大到最外側的圓時,再回復到原點,同樣地反覆。

無法完全判讀圓內所有的字,也沒關係。這是擴大視野,發現其中重要情報、關鍵字、異常情報等的基礎訓練。

⊙⑥「遊行法則」訓練(一分鐘)(參照教材二一一頁)

利用實際訓練,把速讀的重要法則,亦即二成情報中包含八成必要的情報,深植在潛意識內,成爲自己的一部份。

第一頁(右半部)是記號,一行四十記號中,二成(八記號)是●(重要情報）。●在每行的位置不同，迅速掌握後，換下一行。

右頁完全讀完後，立即換成左頁實際的文章，意識到各行四十字中有兩成左右（約八文字）的關鍵字、重要情報，搜索著閱讀。

⊙⑦腦內革新、身心活性化訓練

讀書是用腦的代表性作業。所以，腦內革新和讀書速度有密切關係。如前述，長年來筆者一直從事腦內革新，也就是腦活性化的研究。現在正流行「腦內革命」。其實，早在數年前，我也出過一本類似內容的著作『右腦能力強化』，成爲暢銷書。

根據這類研究與經驗，開發了促進腦內革新，腦活性化，從而自然地提升讀書速度的簡便訓練法。像一六〇頁的圖（取自拙著『右腦能力強化』），腦內革新最重要的關鍵之一是，只要做積極而正面的思考，腦內會分泌β腦內啡等腦內快適賀爾蒙，它會使腦及體內細胞或免疫細胞活性化，身心也漸漸健康，結果又促進腦內快適賀爾蒙的分泌……成良性循環。

相反地，做否定的負面思考，會分泌腎上腺素等有害賀爾蒙，而抑止腦或體內細胞、免疫細胞，使身心不得舒展，容易生病，結果促使腦內分泌有害荷爾蒙……陷入惡性循環。

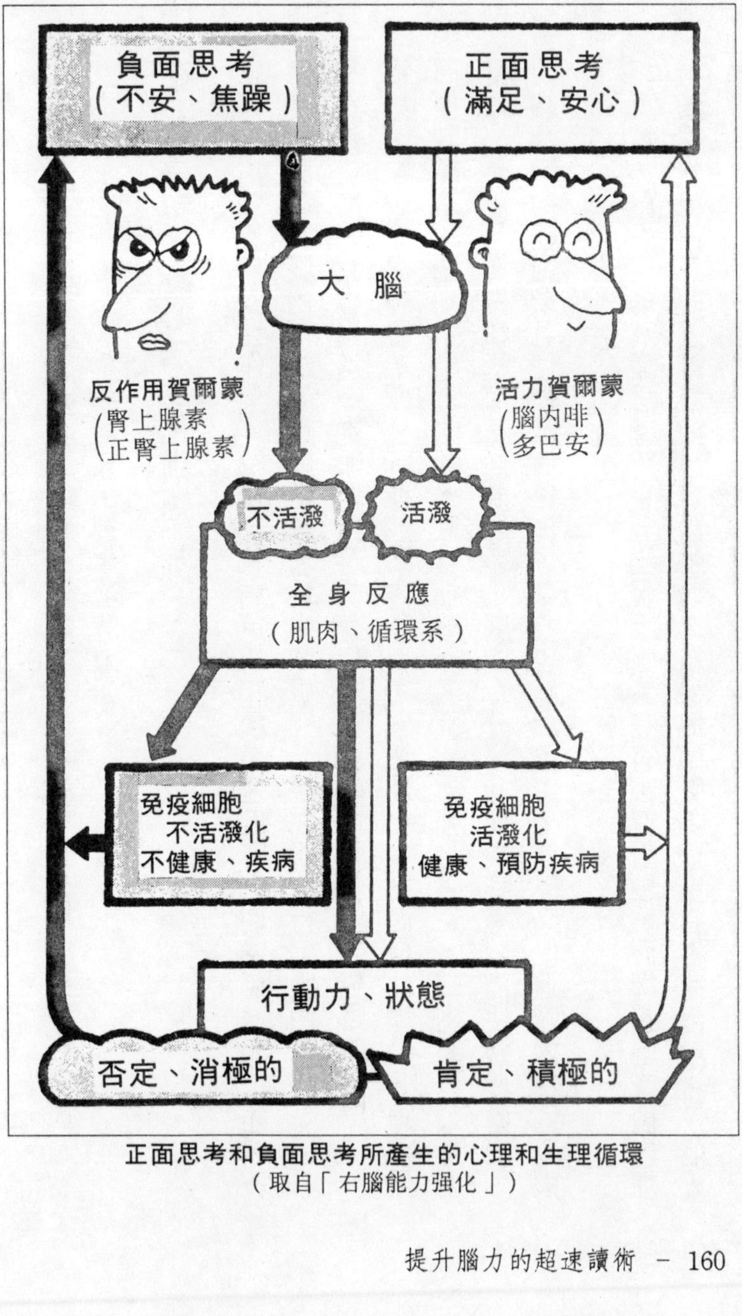

正面思考和負面思考所產生的心理和生理循環
（取自「右腦能力强化」）

一六〇頁圖中表示，對潛在意識產生作用，用自己的意識，造成良性循環。意識下帶著強烈期許，依循粗箭頭的方向，用視點追逐同圖右側的良性循環三次。其次，心想不要變成這樣，用輕淡的視點，追逐左側惡性的循環的點線箭頭一次。如此反覆三回。

之後，這種良性循環，會強烈烙印在你的潛在意識，不僅是讀書，在一般的日常生活中，也會自然養成良性循環。

C．階段式應用訓練

⊙應用訓練的實際

應用訓練是以一視點能讀幾個文字、幾行，涵蓋多少範圍爲基準，從一級到十二級，分成十二個階段。這是用科學方式分析速讀方法，分類成十二類型。重點不在於比較何種類型的優劣，而是根據所閱讀書籍的內容、個人的興趣、需要，可以活用各種類型的特徵，而分別使用的訓練。

本書的教材，已經安排可以訓練這十二類型。換言之，是以一般書式的直寫格式爲訓練的基本範本，每一頁設定爲一行40文字×16行＝640字。

在每個類型（級）的右頁是記號和閱讀法，左頁則是實際的文章。利用右頁的記號訓練閱讀法，深植在淺意識內，然後立即用同樣的閱讀法，轉移到左頁的實際文章。如此，可以輕易地培養利用記號和實際的文章，學習閱讀法的類型。

習得這些類型後，再配合書籍內容或個人興趣、需要，而改變速讀的方式，就是相當具有戰略性的智慧速讀。讀書是最高度的智慧性作業（心理作業）之一，所以，任何書籍都用同一種速讀方式，是較粗淺的作法。熟諳讀書的人，會配合書籍內容或個人興趣、需要，戰略性的改變閱讀法。

藉此，可在最短時間內，有效率地加強理解，並享受智慧性速讀的樂趣。本教材的目的是，讓你深刻地熟悉達到這種效果的十二基礎戰略類型，懂得臨機應變的閱讀法。

彷彿練習「兵來將擋、水來土掩」的技法。這項學習，可以讓你和沒有累積這種科學訓練的人，產生決定性的差別。

同時，這個訓練可以突破以往的音讀（發出聲閱讀）或默讀（不發聲而在腦中音聲化閱讀），無法超越的一分鐘六百字的音速關卡。也是升級爲視讀（剎那間閱讀全

速讀類型的進度基準表

(A)級		(B)速讀型	(C)每一頁的視點數	(D)每視點覆蓋的文字數	進度基準(一分鐘) (E)記號	進度基準(一分鐘) (F)書籍閱讀	(G)特徵
初級	1級	3字讀	208視點	3字	600字	400字	精讀(左腦.理解)
中級位	2級	5字讀	128視點	5字	800字	500字	↑
	3級	7字讀(1/6行讀)	96視點	7字	1,000字	600字	
	4級	10字讀(1/4行讀)	64視點	10字	1,500字	800字	
	5級	13字讀(1/3行讀)	48視點	13字	2,000字	1,200字	
	6級	20字讀(1/2讀)	32視點	20字	2,500字	1,500字	
高級位	7級	1行讀	16視點	40字	3,000字	1,800字	
	8級	2行讀	8視點	80字	5,000字	2,000字	
	9級	3行讀	5視點	120字	10,000字	2,500字	
	10級	5行讀	3視點	200字	20,000字	5,000字	
	11級	1/2頁讀	2視點	320字	40,000字	10,000字	
	12級	1頁讀	1視點	640字	80,000字	20,000字	↓
	名人位	速讀	0視點	∞(無限大)	∞	∞	跳讀(右腦、意象)

體的類推閱讀）的訓練。

如此一來，在各個階段提升讀書速度，從剛開始一分鐘三百～四百字的程度，經過階段式訓練，達到一分鐘一千字、二千字、三千字……甚至成爲速讀高手的訓練。

首先，從每一視點讀三字（瞬間統讀三字）開始，提升到讀五字、讀七字、讀十字、讀十五字。而且，再往上多讀一行（讀四十字）、讀二行（讀八十字）……讀半頁、讀一頁，利用訓練往各階段進級，最後以習得所有階段爲目的。

一六三頁表是「速讀類型的進度基準表」。依據此表，說明本訓練的意義與作法。

(A)級是，以速讀法的類型爲基準，分爲十二基本型與三大區分。

(B)是，表示各類型中的一視點所閱讀的文字數、行數。

(C)是，每一頁的視點數。

(D)是，一視點可閱讀的文字和記號數。

(E)是，一分鐘可閱讀的記號數。

(F)是，一分鐘可閱讀的文字數。

(G)是，各類型的特長。

換言之，從一級的讀三字開始，利用階段性訓練，學習到十二級的閱讀法。

⊙速讀類型進度基準的解說

其次，作爲速讀進度的一般解說，尤其針對「速讀類型的進度基準表」中項目的(C)以下做說明。

(C)是每一頁的視點（眼睛的停留點）數。級數越低停留點越多，相對地速度緩慢，但適合精讀。級數越高視點（停留點）越少，但速度越來越快。

已經知道的內容之部份，缺乏必要性、重要性、新奇性、獨創性的地方，可加快速度或省略。大致而言，級數越低屬於精讀系（左腦的理解中心），級數越高屬於速讀系（右腦的意象中心）。不過，這並不意謂速讀系的理解力較低。藉著訓練，可以瞬間理解更多的文字，比詳細研讀更能綜合掌握本質。尤其是本書所介紹的各種智慧型速讀訓練，對此大有幫助。

如果到達第三章所介紹的智慧型工作高手等級，用十～十二級程度的速度閱讀，也具有比平常人多出一～三級以上的內容掌握、理解力。而且，速度也提高數十倍。

即使是同一個人，根據文章內容，也有相對的階段，而對於較熟悉的部份或有興趣的地方，速度會加快，至於難解而重要的部份，速度就變慢。

此外，在訓練中試用各種等級，找出自己擅長的等級，也非常重要。我個人常用的是四級到七級，遇到難解而重要的部份，改用二級到三級，而熟悉的部份或不太需要、不重要的地方，就用八級到十二級跳過。

同時，同一頁中也會根據文章內容，在一級到十二級之間做臨機應變。事先做好這些基本型的練習，就能達到從容不迫的戰略式、智慧型閱讀。

內容的理解或把握的程度，根據個人過去的知識或經驗、興趣類別、學歷、訓練、熟練度而有變化，所以，平常多接觸書籍，強化功力。

(D)是每視點覆蓋的文字數。級數越高，用一視點掌握、支配的文字數越多。它可以因為訓練與個人的積極度而擴大。所以，盡量試圖擴大範圍。

(E)~(F)是一分鐘閱讀的進度基準。當然，級數越高的人，滯留點（視點）數越少，一視點所覆蓋的比率較多，所以，讀書速度會變快。

(E)是利用記號的訓練，(F)是利用實際文字的訓練。記號訓練不需要理解，速度當然較快。

當然，這些進度基準只是大概的參考值，實際上有極大的個人差異。閱讀較慢的人，倒有愼重仔細思考的優點，所以，重要的是自己比以前進步多少？並非和他人比較。

換言之，關鍵在於到底有多快速、有多少理解程度的閱讀。即使是同樣的理解，如果，讀書速度較快，情報或工作的處理量自然增加，有充裕的時間閱讀較多的書。

所以，讀書能力的提升，是一輩子的樂趣。

一般而言，假設用一分鐘五百字左右的速度閱讀，通常10×28公分大小的書籍，要花四小時二十九分鐘。如果利用訓練提高五倍的速度，一本書大約一個鐘頭就可讀完。剩餘的時間，可讀另外的書，或以書本內容爲架構，進行企劃、研擬論文、著作、草案等等。

諸如這般，它是充滿樂趣的訓練，希望各位按部就班地，利用本書的教材與實際的閱讀吸取精華，成爲自己的專長。

各級的閱讀法

⊙初級（讀三字）

⑴一級——讀三字（參照教材二一三頁）

從默讀（在腦海中音讀）轉變爲視讀（瞬間併讀）的第一步。首先，從右頁記號的前端開始，併讀範圍內每三個文字。換言之，把視點停留在●的位置，一次就把範圍內的符號收入範圍內。

亦即，把視點放在三個文字的第二個文字●的位置，擴張視野，一次掌握範圍內的三個文字並往下進行。接著，從最初的●跳到下一個●，再一次掌握範圍內的三個文字……如此，依次跳過每個黑點，準確掌握每三個文字。這麼一來，潛在意識內會烙印著併讀三個文字的閱讀法。

右頁閱讀完畢後，立即換成左頁。左頁是實踐用的文章。是從拙著『精神力強化術』一書摘取而來。左頁中沒有●記號，所以，利用右頁所訓練的要領，儘可能做每三個文字的併讀。

譬如，把視點中心放在「正面的」「人生的」「開朗的」等語詞上，做併讀練習。途中如果碰到「心裡」（二個文字）或「何謂夢的新藥」（六個文字）等較易歸納的文字群，不論是二個或六個文字，都可以當作併讀單位來閱讀。

總之，不必嚴格限定三個文字，爲的是避免一個字一個字閱讀，而能夠用三個文字左右一個視點的方式做併讀的訓練。

一開始就用七個或十個文字的併讀較困難，所以，先從三個文字的併讀來適應。練習之後必會發現，比一個字一個字地閱讀較輕鬆，而且，你會發現以往就常常應用這種閱讀方式。

讀書速度速見表

A・一頁16行×37字
＝592字的範例（新書版）

頁數	速度(文字數)
1	592
2	1,184
3	1,776
4	2,368
5	2,960
6	3,552
7	4,144
8	4,736
9	5,328
10	5,920
11	6,512
12	7,104
13	7,696
14	8,288
15	8,880
16	9,472
17	10,064
18	10,656
19	11,248
20	11,840
21	12,432
22	13,024
23	13,616
24	14,208
25	14,800

B・一頁16行×40字
＝640字的範例（文庫版）

頁數	速度(文字數)
1	640
2	1,280
3	1,920
4	2,560
5	3,200
6	3,840
7	4,480
8	5,120
9	5,760
10	6,400
11	7,040
12	7,680
13	8,320
14	8,960
15	9,600
16	10,240
17	10,880
18	11,520
19	12,160
20	12,800
21	13,440
22	14,080
23	14,720
24	15,360
25	16,000

※文字較大的標題等，有時會另外計算。在本書的附章「A教材」中，是另外計算後再加算起來。

刻意做此訓練，讓它成為習慣。練習之初，可能太在意非得三個字併讀的方式，而花更多的時間閱讀一頁的文章，但不必失望。

因為，這個訓練的目的，是為了從一個字一個字閱讀的音讀，移行，提升到一併處理的視讀之訓練。

所以，希望各位不要緊盯著記錄，而把目標放在意識的固著。從右頁的開端看到左頁的結尾時，再回溯到右頁的開端，做反覆練習。先設定一分鐘的計時，一分鐘後記錄閱讀了幾頁、幾行。然後，利用「讀書速度速見表」（一六九頁）測量讀書速度。這個表上併列著二個範例，A是一般的新書版（一行37字×16行），B是普通的文庫版（一行40字×16行）。本進階式應用訓練教材的文字數規格是B，所以，請選B列。

如果前進到第二頁的第十行，就找速見表B列中第二頁的數字一二八〇字，然後再找第十行的文字數，二一四頁以下各教材下方的文字數（第十行是「四〇〇」），加起來是一六八〇，再記錄在另表「應用訓練記錄表」（一七二頁）。如此，漸漸加快速度。

而左頁是記號，右頁是文章的設計下，記號的閱讀速度應該較快，估計一下習慣此練習所耗費的時間，綜合左右二頁的閱讀狀況，就可算出自己的讀書速度。

應用訓練記錄表（每一分鐘）

年月日	級（型）	頁	行	速度(文字數)	備　　註
88.9.1	5	2	10	1,680	視點移動變活潑

※參考用的表格。實際使用時，放大後影印等，依自己的方式製作。

訓練一段時日之後，如果只想做文章的練習，可以只看左頁，或拿一般的書本挑戰看看。

⊙中級程度：二級（讀五字）～六級（讀二十字）

②二級——讀五字（參照教材二一五頁）
③三級——讀七字（參照教材二一七頁）
④四級——讀十字〈讀四分之一行〉（參照教材二一九頁）
⑤五級——讀十三字〈讀三分之一行〉（參照教材二二一頁）
⑥六級——讀二十字〈讀二分之一行〉（參照教材二二三頁）

這些也是文字群的併讀訓練。如前所述，越高級覆蓋的文字數越多。因此，不是從初級越級跳到四級、五級，而是一級完後朝二級、三級依序進級，讓併讀的文字數漸增，較能紮實進步。

利用在一級所陳述的要領，把視點移到●，瞬間併讀框內的文字群，再迅速而規律地移動到下一個●。

速讀的要領是，儘可能減少每頁的停留點（視點）數，盡量擴大每個停留點（視點）所覆蓋的文字數，然後盡量減少每個停留點（視點）的停留時間。並且做階段性的反覆訓練。

二級的五字單位、三級的七字單位，大約是一個短文節的長度，但不要用默讀，訓練自己能瞬間視讀。這是從默讀跳級到視讀的重要一步。

默讀是在腦海中音聲化，用音去理解，所以，無法超越最快速一分鐘六百字的關卡。因此，持續默讀則無法讀到六百字以上。爲了打破這個關卡，二～三級左右是重要的步驟。

達到此步驟後，再向長句的四級（讀十字）或五級（讀十三字）挑戰。要領完全和一級一樣，但級數越高，覆蓋的文字數越多。以二級（讀五字）爲例，以一定的規律把視點放在五字正中央的●，至少把五個字全部納入視野，用一氣呵成的決心牢牢掌握後，再移動至下一個五文字。

總之，視點來到●時停止不動，就像拍照按快門一樣，保持靜止不要分叉，瞬間掌握目標的全體文字群。接著，再按下一次快門前，把視點移到另一個文字群的中心●。

這和名攝影師快速移動相機，來到對象物之前突然瞬間停止，再按快門的道理是一樣的。

從右頁開端來到左頁文末時，再回溯到右頁開端，反覆練習。儘可能掌握該級文字數的範圍，但不要太拘泥該級的文字數。任何級數都是相同的要領。

一個級數練習完畢後，隨時利用讀書速度速見表（一六九頁）計算文字數，把結果塡在應用訓練記錄表（一七一表）檢查進步狀況，一級一級往上訓練。

⊙有關文章的理解力

在此把理解力的概念放進腦海內，就有可能達到更高度的戰略型讀書。因爲，可以思考該頁的理解度爲多少%，要用哪一種類型來閱讀。當然，同一頁中不一定要一樣的速讀類型。理解力的基準如下：

理解度二〇%——了解書本的型態。

理解度四〇%——了解書本的概要內容。

理解度六〇%——了解關鍵字或主題的概念。

理解度八〇%——了解書本的內容、理論，作者的企圖、主張。

一般而言，同一人的讀書速度增快時，相對地理解力會降低。其實，讀書速度快不一定理解力就低落，而讀書速度減緩，理解力也未必增強。

有的人讀書速度快，在刹那間即有深刻的理解與洞察。總之，這是個人知識與訓練累積度的問題。所以，不要和別人比較，挑戰看看用較快的讀書速度，可以加深多少的理解力。

另外，對自己並不重要的部分，根本不必加強理解力。但有些是使你深受啓發，從該短句中源源不斷湧現構想的重要部分。所以，根據書本內容減低理解力、加快速度，或碰到重要地方強化理解力而放慢讀書速度去品味，或做筆記、用奇異筆劃線做記號等等。

重點是不必專精於某一個級數，而是任何級數（讀書型）都能巧妙應用，利用這個訓練養成因應文章內容與讀書的必要性、重要性，能隨機應變更換讀書型，達到有效率的戰略型讀書。

⦿高級程度：七級（讀一行）～高手等級

⑺七級——讀一行（參照教材二二五頁）
⑻八級——讀二行（參照教材二二七頁）
⑼九級——讀三行（參照教材二二九頁）
⑽十級——讀五行（參照教材二三一頁）

七級以後，一行文字不做分割，全部像長頸鹿的脖子一樣，以長長的一行文字爲單位來閱讀。所以也稱爲「長頸讀」。人的眼睛左右橫列，較容易掌握兩側較寬的橢圓形範圍。卻不容易把縱長的對象物納入視野。如果上下兩端有些看不清楚，無法完全讀出一行也莫可奈何。

但是，視野擴大後讀書速度自然變快，所以，儘量擴大視野往前進。視野內的文字數變得相當多，剛開始倒不必全部讀取。而是把重點放在對自己有用的必要語、重要語、關鍵字、關心的語詞上，設法正確地掌握內容。

如果是閱讀的高手，可以瞬間洞穿文章的本質，達到一級程度以上的理解、掌握。

⑪十一級——讀二分之一頁（參照教材二三三頁）

⑫十二級——讀一頁（參照教材二三五頁）

這是用一視點掌握半頁或一整頁內容的高度閱讀法。達到此水準時，就有一分鐘一萬字以上的速度。想利用此閱讀法掌握較多的情報時，就是渴望吸收較多知識的企圖心與集中力的勝負決鬥。這是速讀的極致。

即使降低理解力，但爲了檢索或訓練而使用較高級數的閱讀法，也是了不起的戰略之一。利用高級數迅速找到重要情報後，用低級數閱讀該部分。應用這些組合，在自己的預定時間內讀完一本書。換言之，是一種定時閱讀。藉此可大幅減縮讀書時間，在不慌不忙的充裕狀態下進行閱讀。

⑬高手級

誠如前述工作高手中所介紹的媒體至尊大宅壯一先生所言：「不是從頭到尾看一本書。……只要閱讀新材料與新穎構想的部分就行了。」而矢矧晴一郎先生也說：「多閱讀，不能閱讀太多。」了解內容後以頁爲單位迅速翻閱，具有大幅節約時間與勞力，突飛猛進地擴大讀書範圍的重大意義。

我所提倡的遊行法則適用等，也是推薦利用與高級數——包含高手級的戰略性組合，用最少時間，獲得最高品質之情報的方法。也因此增設了不看多餘部分而跳讀的高手級。

D・月讀五十本書的實戰閱讀訓練

與其說是訓練，毋寧是親臨戰場了。在意識上、戰略上應用在本書所學習的各種速讀技法，向書本挑戰吧！最終目標是一個月讀五十本書左右，若覺得吃力，可從較輕易達成目標的一個月十本～二十本開始，漸漸往上提高閱讀量。不過，必須決定每個月的目標冊數。

書店內的訓練，已在第三章「書店是速讀道場」單元中詳細說明，請參照之。一般是利用平日下班的歸途，在最近的書店以十五分鐘（最低十分鐘）讀一本書爲目標，做站讀訓練。

在書房或通勤中，也要決定閱讀的目標量。標準是以十五分鐘爲一單位，用計時方式在該時間內讀完一本或一章節、數頁等。可以長時間讀書時，用十五分鐘讀書／五分鐘休息、雜事二十分鐘的配套方式，一個鐘頭就可做三套。

如此一來，既可以消除眼睛或姿勢的疲勞，又能持續性地閱讀。如果每天記錄閱讀的單位量，還能激厲自己增加讀書時間。

像這樣決定限時閱讀的範圍，讓自己陷入窘迫的境地，自然可以快速選擇出重要情報。而集大成者正是一個月五十本（或三十本）的讀書達成訓練。每讀完一本，隨即登記在記錄表（一七九頁）上，會有激厲作用。

每天看一本書，一個月就是三十本。利用書店的站讀訓練，於第三章等單元陳述的站讀書籍中，自然而然購買較多的書。

實戰讀書訓練記錄表

本月目標（　）本　　　　　　　　　年　　月份

冊數	月日	書　　名	作　者	出版社
1				
2				
3				
⋮				
⋮				
⋮				
⋮				
48				
49				
50				

※參考用之表格，也可以記錄在本表，但實際使用時，
請個別製作。

下班的歸途都是疲倦的狀態，在勞累時可以把十五分鐘縮爲十分鐘。偶而看輕鬆的週刊也無妨。總之，這是與書本的良質情報接觸，擴大視點覆蓋情報的範圍與視野，從中探索重要情報的訓練，所以，無須淨讀只管閱讀新書或雜誌。

花十五分鐘速讀，在這段時間內如果掌握到自己需要的重要情報，即使是一頁或一張照片，也算讀一本書。重要的是，那不是針對別人，而是自己所重視的情報。這種情報累積，會使你變成獨創性、創造性的人。

如此增廣讀書範圍，並獲得重要情報，日後會常常碰到別人無法取得，唯獨你才擁有的珍貴情報。本質方面，可藉由訓練精進。同時，千萬不可忘記每月購買數本自己本業的書籍，仔細品味並做精讀。

像這樣每天接觸新書後，天天就會期待與何種書、作者、情報邂逅而覺得喜悅。

人生所有一切都是與貴重情報邂逅之速讀、速解的訓練學校，是爲了自己進步向上、實現自我的訓練，也是孕育豐富人生之興趣與兼具實質效益之有用訓練。

附章

「一個月速讀五十本」訓練教材

A・基本技能訓練的教材

訓練① 測量讀書速度的預習測驗（參照本文一三七頁）

閱讀開始　時　分　秒

我經常稱呼那個人爲老師。所以，在此也只能寫老師而不公開其本名。與其說是顧忌世人眼光的避諱，毋寧是對我而言較自然罷了。當我每次喚醒對那個人的記憶時，就忍不住想叫「老師」。即使握筆面對文案，心裡所想卻是同一件事。根本沒辦法使用那些生疏的字眼。

我和老師認識的地方是在鎌倉。當時我還是個弱冠書生。因爲接獲利用暑假去海水浴的朋友邀約，前往一遊的明信片，所以，我打算張羅一些費用後出遊。爲了籌措費用，我花了二、三天的時間。但是，當我抵達鎌倉不到三天，邀我前往的朋友，突然接到「速返家鄉」的電報。電報上雖寫著：因母病，但他卻不相信。他老早就被家鄉父老強迫一樁他不情願的婚事。以現今的習慣來說，他之於結婚，是太年輕了。而且，更重要的是，他並不喜歡婚事的對象。所以，原本應該返鄉的暑假這段時間，故意躲避家人到東京近郊遊玩。他把電報拿給我看，問我該怎麼辦？我不知如何是好。但是，如果他的母親眞的生病了，他本來就該回去。因此，他終於決定返鄉。難得前來的我，卻一個人落單了。

離學校開課還有一段時日，因此，處於在鎌倉可留可不留境地的我，決定暫且留宿在原先的旅館。朋友是中國某資產家的兒子，雖然不愁錢花，但畢竟在學又年輕紀，所以生活狀況和我不相上下。而落單的我，倒也不必耗費在尋找好旅館的這件麻煩事上。

旅館位於鎌倉的偏僻地方。像撞球、冰淇淋這些時髦玩意兒，必須繞過一條長長的田埂道才接觸得到。坐車前往，還要花費二十分錢。不過，個人別墅在各處林立。而且，離海非常近，占據享受海水浴的最便捷位置。

我每天前往海邊。穿過老舊焦黑的茅屋舍，往下走到海灘時，避暑前來的男男女女在砂灘上蠢動的情景，令人懷疑這附近難道住著那麼多的都市人。有時候，海域像是澡堂一樣，黑壓壓的人頭擠成一堆。就連在這群遊客中沒有任何熟人的我，也浸淫在這片熱鬧的光景中，時而躺臥在砂灘上觀賞，時而讓波浪拍打在膝蓋上到處蹦跳，眞是愉快。

其實，我就是在這片雜沓中發現老師的。

●理解力測驗（摘自夏目漱石著『心』）

一、文中的「我」怎麼稱呼「那個人」？

⑴學長、⑵老師、⑶學生、⑷學弟

二、文中的「我」第一次和「那個人」認識的場所？

⑴札幌、⑵神戶、⑶福岡、⑷鎌倉

三、文中的「我」的職業是？

⑴書生、⑵老師、⑶官員、⑷漁師

四、文中的「我」每天去哪裡？

⑴車站、⑵海邊、⑶山上、⑷農田

五、文中的「我」每天在那裡做什麼？

⑴登山、⑵散步、⑶海水浴、⑷讀書

閱讀完畢 時 分 秒

總文字數／九六二字	所需時間／　　秒	分速　　字	答對數／

※答對數的判定請參照二三六頁的「解答」。以下，A教材完全與此相同。

訓練② 刻意速讀（參照本文一四二頁）

閱讀開始　時　分　秒

次日，我跟在老師後面跳入海中，然後跟著老師游向同一個角落。來到離海岸約二尺左右的海域，老師回過頭跟我說話。廣大的碧藍海面上所漂浮的，在那附近只有我們二人，而強烈的太陽光，遍灑在視野所及的山水間。我擺動充滿自由與喜悅的肌肉，在海中狂舞。老師又突然停止手足運動，以仰卧的姿勢在海浪上假寐，我也有樣學樣。蔚藍的天色閃閃亮亮地把烈火般的顏色，像刺眼般擲向我的臉龐。「好舒服啊！」我大聲地喊。

不久，在海中像起床般轉變了姿勢的老師催促著我說：「要不要回去了？」體質較強壯的我，其實想在海中多玩一會兒。但被老師這麼一喚，我立即應聲回應：「嗯，回去吧！」於是二人又順著原路游回海邊。

我從此以後和老師成爲莫逆之交。但是，我還不知道老師住在哪裡？後來，我想是中間隔了二天，正好是第三天的下午。我和老師在路邊茶坊碰面時，老師突然正視著我問：「你還打算在此地呆上好一陣子吧？」毫無概念的我，腦海中並沒有預留足以回答這個問題的準備。因此，我回答：「還不知道。」但是，看到老師那張訕笑的臉時，我突然覺得困窘極了。不得不反問：「老師您呢？」這是從我的嘴巴脫口而出「老師」這個語詞的開始。

當天晚上我前往老師的旅館。雖然是旅館，卻不同於一般的旅館，它是位於一座廣大寺廟內，像別墅一樣的建築物。我也知道住在那裡的人並非老師的家人。因爲我滿嘴「老師」「老師」地叫著，老師露出一臉的苦笑。我解釋這乃是我面對年長者的口頭禪。我打聽前一陣子那西洋人的事。老師告訴我那人特立獨行的舉止，已經不住在鎌倉的事等等，後來還說連日本人都不太往來，竟然和那種外國人隔鄰而居，眞是不可思議。最後我望著老師說，好像曾經在某處見過老師，卻一直想不起來。

年輕的我當時暗自懷疑，他也許和我有同樣的感覺吧！而且，內心裡期待老師的回應。但是，老師沈思一會兒之後說：「對你的臉孔並沒有什麼印象啊！看錯了吧！」我莫名地覺得失望。

閱讀完畢　時　分　秒

●**理解力測驗（摘自夏目漱石之『心』）**

一、文中的「我」跳入海中時，在老師的那一邊？

(1)後面、(2)前面、(3)同時、(4)沒有跳入海中

二、文中的「我」在海中是什麼樣的心情？

(1)悲嘆、(2)歡喜、(3)不安、(4)焦慮

三、在海中先說：「要不要回去了？」的是誰？

(1)老師、(2)船夫、(3)漁夫、(4)我

四、文中的「我」當天晚上去誰的旅館？

(1)外國人、(2)老師、(3)老師的朋友、(4)旅客

五、我叫「老師」時，老師怎麼了？

(1)微笑、(2)苦笑、(3)痛苦的臉、(4)視若無睹

總文字數／八八八字	所需時間／　秒	分速　字	答對數／

訓練③　讀關鍵字的練習（參照本文一四三頁）

閱讀開始　時　分　秒

我在月底回到東京。離開老師的避暑地是更早的時候。我和老師分手時，問：「日後可以偶而到貴府拜訪嗎？」老師只是簡單地回答說：「嗯，歡迎。」當時的我以爲和老師已相當熟稔，因而期待老師有更貼切的慰留話語。因此，這麼疏離的回應，多少傷了我的自尊。

我常常因爲這些事對老師感到失望。老師似乎察覺到，也似乎毫無所覺。而我卻在屢次反覆失望中，爲此而無法離開老師身邊。毋寧是一種反動，每次又被攪亂得不安時，反而更想接近老師的領域。我想只要更接近一些，也許我所預期的某個東西，總有一天會如願地出現在眼前吧！

我太年輕了。但是，所謂年少輕狂的熱血，並不是對所有的人都這麼坦率地揮灑。我不懂爲何單單對老師會有這樣的情愫。直到老師過世的今日，我才漸漸了解。老師並不是一開始就討厭我。老師常常對我表現出來的似有若無的招呼或看似冷淡的舉止，並不是想和我保持距離的不快表現。哀傷的老師是對想接近自己的人提出警告：

我是不值得親近的人，所以，不要白費工夫了。對別人的關懷不理不睬的老師，看來是在蔑視別人之前，已先蔑視了自己。

我當然是打算拜訪老師而回到東京。回來後離開課還有二個星期的時間，因此，我想在這段期間內去一趟。但是，回東京過了二、三天，在鎌倉逗留時的心境漸漸變淡了。而且，五彩繽紛的大都會的空氣，隨著記憶復活所帶來的強烈刺激，深刻地渲染了我的心。每次在路上看到學生的臉孔，對新學年的希望與緊張感就油然而生。我暫時忘了老師的事。

閱讀完畢　時　分　秒

●理解力測驗（摘自夏目漱石之『心』）

一、我回到什麼地方？

(1)故鄉、(2)鎌倉、(3)大阪、(4)東京

二、我問老師：「日後可以偶而到貴府拜訪嗎？」時老師的態度是：

(1)淡然、(2)大歡迎、(3)苦惱、(4)拒絕

三、對老師的態度，我有什麼樣的感覺？

(1)歡喜、(2)尊敬、(3)失望、(4)期待

四、對老師這種態度，我想採取什麼樣的行動？

⑴離開、⑵前進、⑶憎惡、⑷復仇

五、事後才發覺老師這種態度的原因是什麼？

⑴自我蔑視、⑵自信過度、⑶博愛主義、⑷家族主義

總文字數/七〇三字	所需時間/　秒	分速　字	答對數/

訓練④　摘要的練習（參照本文一四四頁）

閱讀開始　時　分　秒

六　野玫瑰

夏天到山上旅行的事。越過高稜後，突然風不見了，而變得悶熱。穿梭在沿著狹窄谷間，層次排列的山田綠叢中的小道上，蜻蜓的翅膀閃爍發亮，有時還看見蛇從通道爬出來。覆蓋在山谷上污濁的天空，偶而有幾許白雲漂過，但只是在四處的山峰留下藍色倩影而掠去。喉嚨乾渴得難受，路邊田叢間有小水溝，但泛金的水面上張著藍

色外皮，映照著污濁的油光。行進中，發現從一邊茂密的樹叢內側，橫穿過小徑墜落至田間的清水細流時，莫名地覺得喜悅。隨即穿著草鞋入水，一股清涼滲透全身。稍微踏進小道的側邊，只有此處樫、枹等常綠喬木特別茂密繁盛，青苔潮濕，螃蟹爬行其間。從山崖滲出的水，從美麗的羊齒葉尖滴下，落在下方岩石的凹洞成水灘，過多的水溢出，穿過青苔流下來。小竹柄杓浮在上面任由水滴拍打。自己像是咬著柄杓不放似地，品嚐美味冰涼、滲透脾胃的清泉。稍微偏離的山崖下有一株大大的野玫瑰，盛開著純白色的花朵。自己走向前去聞那強烈的花香，再摘一段小樹枝。似乎有人在附近而隨意一看，原來未曾發覺在樹叢的陰暗處，有一個砍柴的女人在休息。她把背上的木柴卸下靠放在崖側，伸直纏著腳絆的雙腳，靜靜地看著我。由於事出突然，我一驚回望過去，補綴而成的和服是短下襬，身上繫著草繩的腰帶。白色手巾深覆在眉間，下方露出的黑髮垂落在額頭，令人意外的美麗臉龐。在都市看不到的健美膚色，稍微曬過太陽更添美麗。被那不怯生而黑亮的瞳孔正視時，自己不由得有被責備的感覺。禁不住狼狽地溜嘴一句應酬話後離開這裡。蟬在叫，悶熱感更強烈。嗅著剛摘下的野玫瑰，走了二三町路時，對面走來一個背著木柴的年輕人。背著比身材還高的木柴，小心翼翼地走向前來。碩壯的泛紅黑臉上，緊緊地綁著頭巾，腰間磨利的鎌刀閃閃發亮。擦身而過時，說一聲：「打擾了！」並瞄了一下我的臉。過了一會兒轉頭一看，年輕人已經爬到清水的附近，但對方也回過頭來看著自己。自己沒來由地把手中的野玫瑰丟棄在路旁，急忙往行進的清水趕去。

閱讀完畢　時　分　秒

●理解力測驗（摘自『寺田寅彥隨筆集』）

一、發現的野玫瑰顏色是？
⑴粉紅、⑵紅、⑶純白、⑷紅與白

二、發現的野玫瑰有幾株？
⑴一株、⑵二株、⑶三株、⑷四株

三、野玫瑰的香味是？
⑴清淡、⑵強烈、⑶無臭、⑷和其他花香混合

四、有誰在野玫瑰附近？
⑴登山家、⑵柴夫、⑶拿槍的獵人、⑷美麗的女人

五、如何處理摘取的美麗小枝？
⑴送人、⑵丟棄在路旁、⑶帶回家、⑷插在花瓶

總文字數／八一八字	所需時間／　秒	分速　字	答對數／

訓練⑤　文章類型認識的練習（參照本文一四五頁）

閱讀開始　時　分　秒

在上野松坂屋七樓餐廳的餐桌間找到空位坐下來。

對面是五、六歲的女孩，她的右側是三十多歲的母親，左側是年近六十的老太太圍坐在一起。

像是代表純鄉鎮式三種家常料理的一群人。

老太太是「幕之內」（註：一種日式便當），母女是炸肉塊。

母親向服務生要求拿調味醬過來時，老太太冷不防地迅速伸出手臂，拿走位於餐桌正中央的瓶子，放在太太的盤子前面。

「喲！還是奶奶最清楚了。」

孩子神氣而正經八百地大聲說著，和我在剎那間所感受到的完全相同的事。

母親倒是顯得愉悅地說：

「是啊，對嘛！」

從老太太的臉和母親的臉非常相似看來，這可能是太太帶著孩子購物之便，邀約娘家的母親一塊吃飯的場合。

「要喝蜜豆湯？還是叫蔬菜燉肉湯？」

「已經很飽了。」

「但是，再叫一些……。」

這樣的對話交換著。

即使是這麼平凡的光景，有時覺得像是在我的心所覆蓋的一層堅硬而厚的冰膜上，具有淋上一些溫開水的效果。

相較之下，一般所謂的科學家的生活，到底是造成人心的乾涸？亦或只是自己個人的現象？

腦海中想著這些問題，透過那舒適寬廣的玻璃窗，眺望沐浴在溫和晴朗日光下的上野森林。

●理解力測驗（摘自『寺田寅彥隨筆集』）

閱讀完畢　時　分　秒

一、這篇文章是屬於左列文章類型的哪一種？

(1)經驗共有型、(2)質疑問答型、(3)情報提供型、(4)技術證明型

二、我所看到的是幾個人在一起的家族？

(1)二人、(2)三人、(3)四人、(4)五人

三、迅速採取行動的是誰？

(1)母親、(2)父親、(3)孩子、(4)奶奶

四、孩子調侃了誰？

(1)母親、(2)父親、(3)妹妹、(4)奶奶

五、看到那家人的光景，我產生了什麼心情？

(1)溫和、(2)冷峻、(3)驚悚、(4)悲悽

總文字數／八五一字	所需時間／　秒	分速　字	答對數／

訓練⑥　利用心象圖的圖解化練習（參照本文一四五頁）

閱讀開始　時　分　秒

丸善和三越

從小時候開始，「丸善」這個名字，聽在我的耳朵裡就有一種特別的韻味。在鄉下小城市的小書店內，時髦的外文書根本沒有，若想要有些特別的書籍時，老闆就說立刻向丸善訂購。中學時代的自己，腦海裡實際上已潛伏著對丸善這個地方一種類似憧憬的情愫。（中略）

自從到東京之後，常常到丸善的二樓，從頭到尾閱覽書架上的書籍已成爲我的樂趣之一。想要的書雖然很多，錢包裡卻總是匱乏。但是，縱然只能隔著玻璃窗瀏覽並排在書架上的書目名稱，對自己而言絕非毫無意義。光是如此，就感到一種興奮，並覺得刺激和鞭策。（中略）

自己總是通過這個出納櫃台前，先前有德文書的地方。這裡稍成單一的獨立格局，在戰前有哲學、美術、科學以及各種部門做有系統的分類而陳列。但最近想要的書大致都已賣光，各種部門的書雜亂地混在一起。（中略）

在德文書的書架前消耗數分鐘之後，來到法文書所在的位置時，彷彿從柏林搭夜車抵達巴黎一樣的心境。這也許不僅只是自己個人的經驗所產生的連想吧！和德文書的裝訂、印刷方式，無法和德國人的所有歷史分割同樣地，法文書上無論如何也漂浮

巴黎男士、女士的氣息。即使讓不懂外文的人來看，也不得不領會到這種顯著的差別吧！（中略）

有一個並排一起，陳列英美新書的攤位式書台。瞧瞧這邊的東西，陳列著似乎有關政治、經濟、社會及涵蓋其他各方面等重大問題的書籍。羅德喬治或威爾森等姓名映入眼簾。但其中也參雜著飛機的通俗講義或偵探小說，以及海格爾（Heckel）的『宇宙之謎』英譯本的廉價版。（中略）

離開丸善後，有時會信步逛到銀座，或走到三越。從白木屋附近渡過日本橋前去的途中，常令我想起廣重的「江戶百景」。（中略）

位於三越玄關兩側的獅子，和位於丸善入口那手長腳長的娃娃一樣，令人有畫蛇添足之感。如果有所謂規則必須在玄關兩側放置什麼的話，我覺得不如戒掉這種規則。

三越商品的主要賣點，到底還是和服。（中略）

閱讀完畢　時　分　秒

●理解力測驗（摘自『寺田寅彥隨筆集』）

根據右邊文章的內容，填寫丸善和三越的賣場或構造的組織圖（左）。

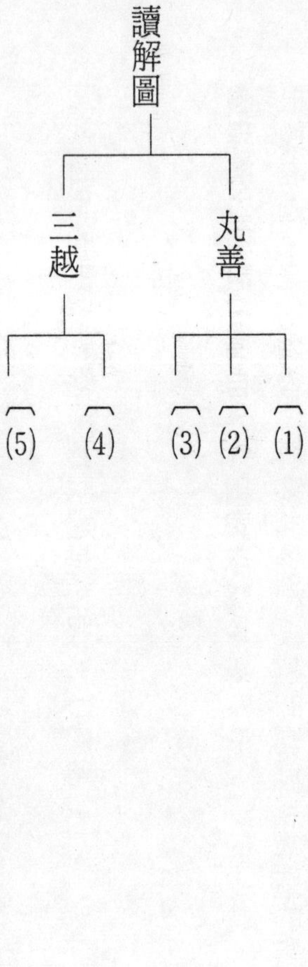

總文字數／九六七字　所需時間／　秒　分速　字　答對數／

訓練⑦　主要構想法的練習（參照本文一四七頁）

閱讀開始　時　分　秒

一　田園雜記

向現代的多數人提出都市和鄉下喜歡哪一個?之類的問題，也許和問青蛙喜歡水或陸地的情形是一樣的吧。

只知道鄉下的人不認識鄉下，而從來沒有離開過都市的人也不懂得都市。往來於城鄉之間的人，多少知道兩者。而其結果也許比毫無概念的前二者來得糟。因爲，無法變成性格分裂的雙重性格者。

這些姑且不談，自己目前希望在都市生活並付諸實行。

想逃避鄉下生活的第一個理由是，鄉下人過於親切這回事。有時對他人的行爲，不會冷淡地置之不理。譬如，下雨天想不撐傘在馬路上走走，常常無法如願。或即使想讓停在鼻尖的蚊子逗留一會兒，一般的託辭是不被允許的。

因爲親切，人的一舉一動不斷被四面八方而來的小心翼翼眼光監視著。譬如，幾月幾日的幾時左右，我戴著泛黑的麥梗帽渡過某橋這種事，會從我不認識的人口中輾轉相傳，最後還傳到我的耳中。個人的一舉一動，像透過有如冷冬厚重雲層的媒體傳播開來。

如果是不要求反應的親切，承受下來倒也不怎麼可怕，但鄉下人的質樸與老實，並不容許那種草率的應對。因此，從這些人所承領的親切，必須一一把明細記錄下來，耐心而一點一滴地回饋他們。

相對地，到底是都市人的冷淡與薄情顯得灑脫且令人舒服。在滂沱大雨中淋得像落湯雞在銀座馬路上閒逛，既沒有人加以阻止，也沒有人會為你多操一份心。萬一接受了別人的親切，償還方式也極為簡便。

所以，看似優閒的鄉下生活，根本無法全心全意埋頭在自己的工作中。倒是都市的「人間沙漠」中最方便。在鄉下不論是花草、樹木甚至石頭，都帶著人的氣息，從四面八方向我搭訕、向我倚靠。但在都市中，即使是擠得水泄不通的電車中之乘客，彼此就像河岸上的石塊，悶聲不響地各自想著自己的事。因此，我可以在電車中好整以暇地專心細讀艱深的書籍。

在家裡有孩子、老人等代表性的鄉下人是令人困擾的，但只有在電車中是完全寧靜的。這種寧靜是在鄉下永遠無法獲得的平靜。過度安靜甚至有些寂寞。

所以，若沒有混雜在都市裡的「鄉下人」，該有多麼安靜啊！

閱讀完畢　時　分　秒

●理解力測驗（摘自『寺田寅彥隨筆集』）

請用適當的文字塡入本篇文章的前半與後半的主要思維之空欄內。

一、鄉下人過於（(1)　）切，彷彿被四面八方（(2)　）視著一樣。在鄉下無法埋頭在自己的（(3)　）作。

二、在都市彼此悶不吭聲各自想著（(4)　　）己的事。

在都市，即使是在擠滿的電車中，也（(5)　　）優閒地細讀書籍。

總文字數／一〇〇四字	所需時間／　　秒	分速　　字	答對數／

訓練⑧　跳讀的練習（參照本文一四八頁）

閱讀開始　　時　　分　　秒

漫　畫

星期天的報紙所附錄的一頁中，有許多以大掃除爲題材的漫畫，其中有岡本一平先生的作品，那篇漫畫，是短髮洋裝模樣的孫女，爲了怕祖父和乳酪盒被灰塵污染，用一個像大雞籠的東西完全地覆蓋住。母親看了大吃一驚，連忙掀開籠子。發現祖母乖順地屈身縮成和乳酪盒一樣小，在籠子下大口大口地吃著東西。而孫女倒是無所謂而開朗地看著那一邊揮舞著雞毛撢子。

其他還有許多漫畫，但泰半是只有表面逗趣，內容卻乏善可陳。一平先生的作品中，像多數的情況一樣，詼諧中流露出人情味，細細品味又有一股哀傷。我覺得這篇漫畫也是從心理角度徹底描繪出現代家庭中老祖母和主婦、孫女之間的三角關係。從它的眞實性中，流露出詼諧，也營造了美感與哀傷。

雖然只是一篇漫畫，但早餐時間看到這樣的東西，令人覺得，至少在那一整天，對自己的心情會造成某種良好的效果吧！

笑聲

初夏的某日，和朋友在京橋附近的七層樓上吃午飯。晴空萬里的好天氣，從餐桌往下俯瞰銀座方面的街景，晴朗明亮又充滿活力，眞是美麗極了。從位於角落的包廂間斷地傳來熱鬧的爆笑聲。從那笑聲判斷，似乎是女校學生的集會。令人想像圍著餐桌穿著制服、留辮子或剪短髮的一群人。

離開座位正要回家時，探頭往敞開著門的那間包廂一看，出乎意外地並非「制服的處女」，而是個個都已三十歲上下，優雅的夫人們的集會。

夫人們的笑法和女學生的笑法應該有所區別。但是，從包廂所聽到的笑聲，怎麼聽都像是只有十五、六、七、八歲的女學生們才有的笑聲。

仍然覺得是某個女校的第幾次畢業同學會吧。也許是因同窗的面孔湊在一起的機會，使她們十餘年前的笑聲復活吧！總覺得歡愉的心情，並不見得是初夏新綠時的晴朗好天氣使然。

閱讀完畢　時　分　秒

●理解力測驗（摘自『寺田寅彥隨筆集』）

把下列文章的空白填上答案。

一、岡本一平的（(1)　）畫，在詼諧中流露出（(2)　）情味，仔細品味又有一股（(3)　）傷。

二、那笑聲並非女校的（(4)　）的笑聲，而是（(5)　）們的笑聲。

總文字數／八一八字　所需時間／　秒　分速　字　答對數／

①腦內革新、集中力強化訓練（參照本文154頁）

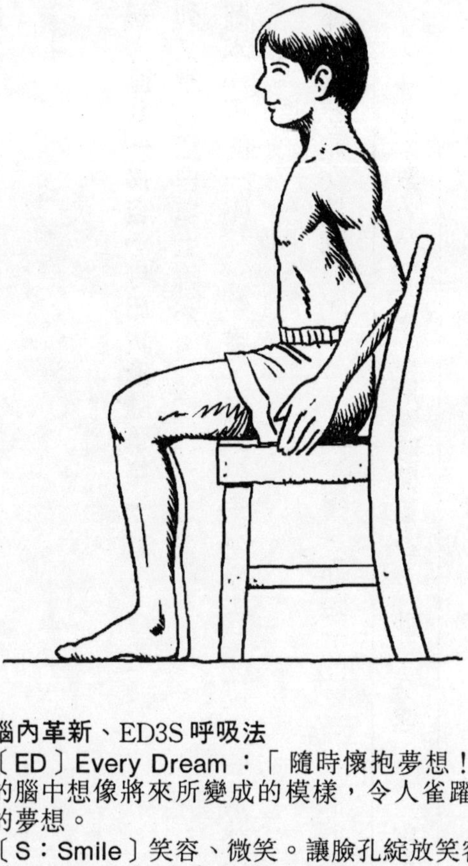

■腦內革新、ED3S呼吸法

〔ED〕Every Dream：「隨時懷抱夢想！」在你的腦中想像將來所變成的模樣，令人雀躍的自己的夢想。

〔S：Smile〕笑容、微笑。讓臉孔綻放笑容。

〔S：Strait〕背脊挺直。雙肩下垂，使全身鬆弛。

〔S：深呼吸〕呼吸自然地進行。然後比平常更緩和地拉長吐氣，再緩慢地深深吸氣。如此反覆一分鐘。

②固定點凝視訓練（參照本文157頁）

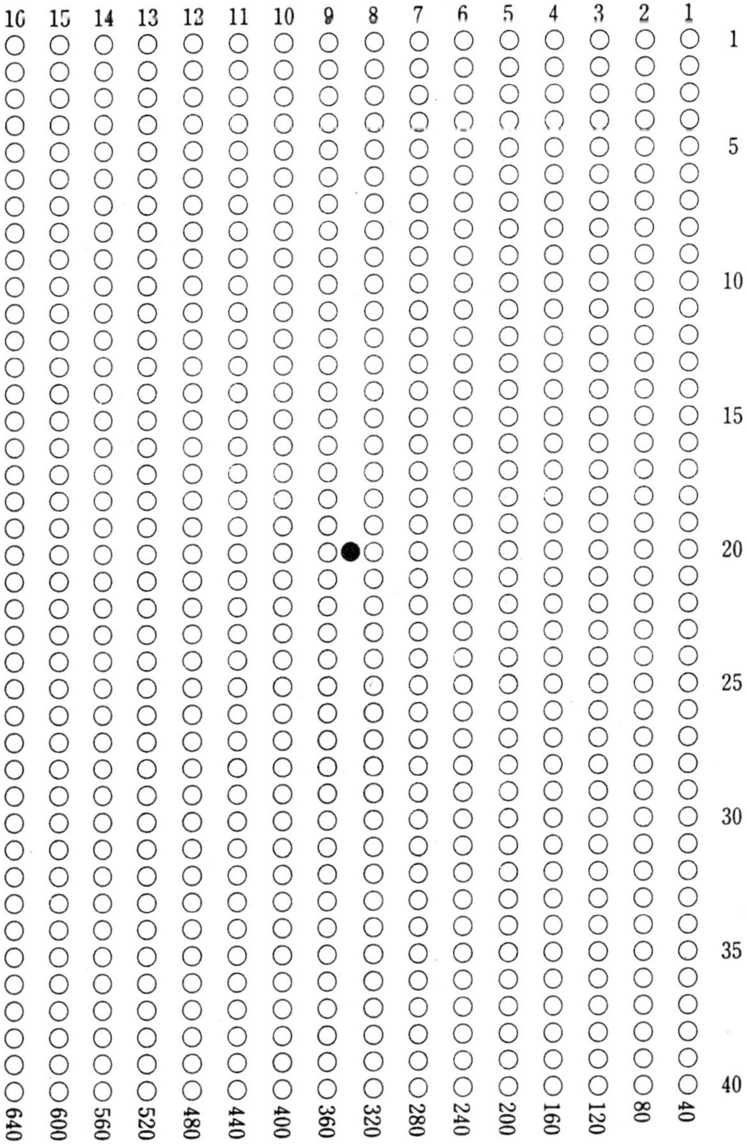

③視力回復訓練（參照本文157頁）

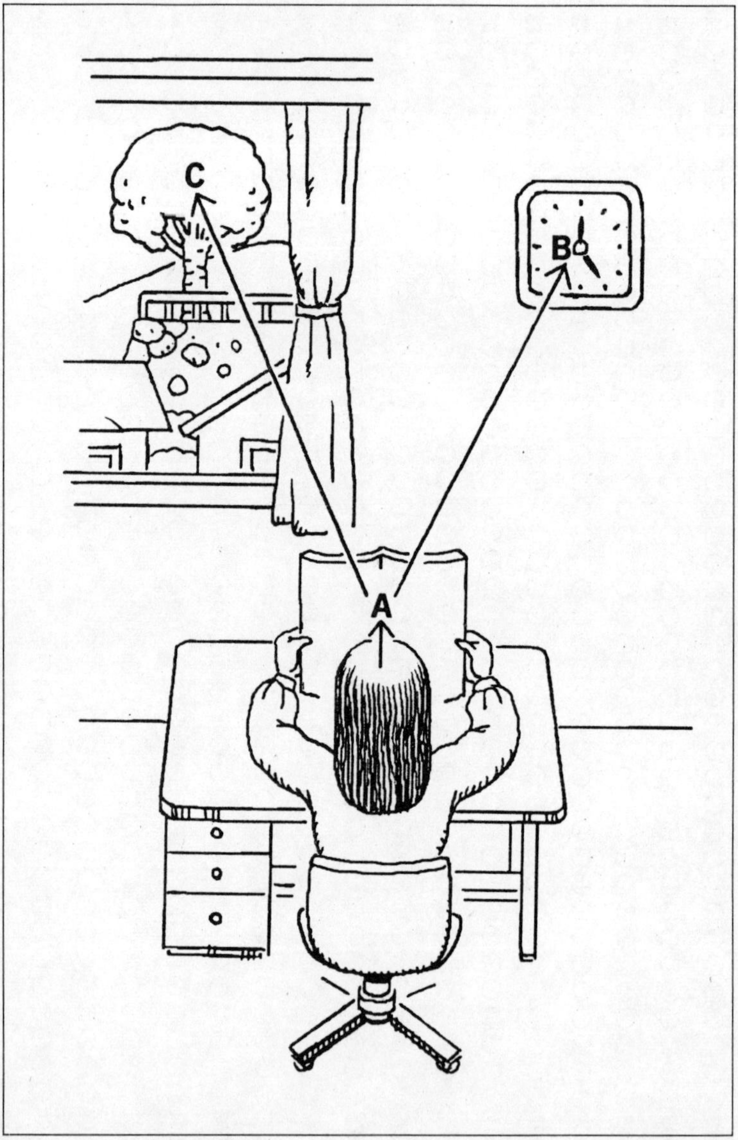

④讀視野擴大訓練(1)（參照本文158頁）

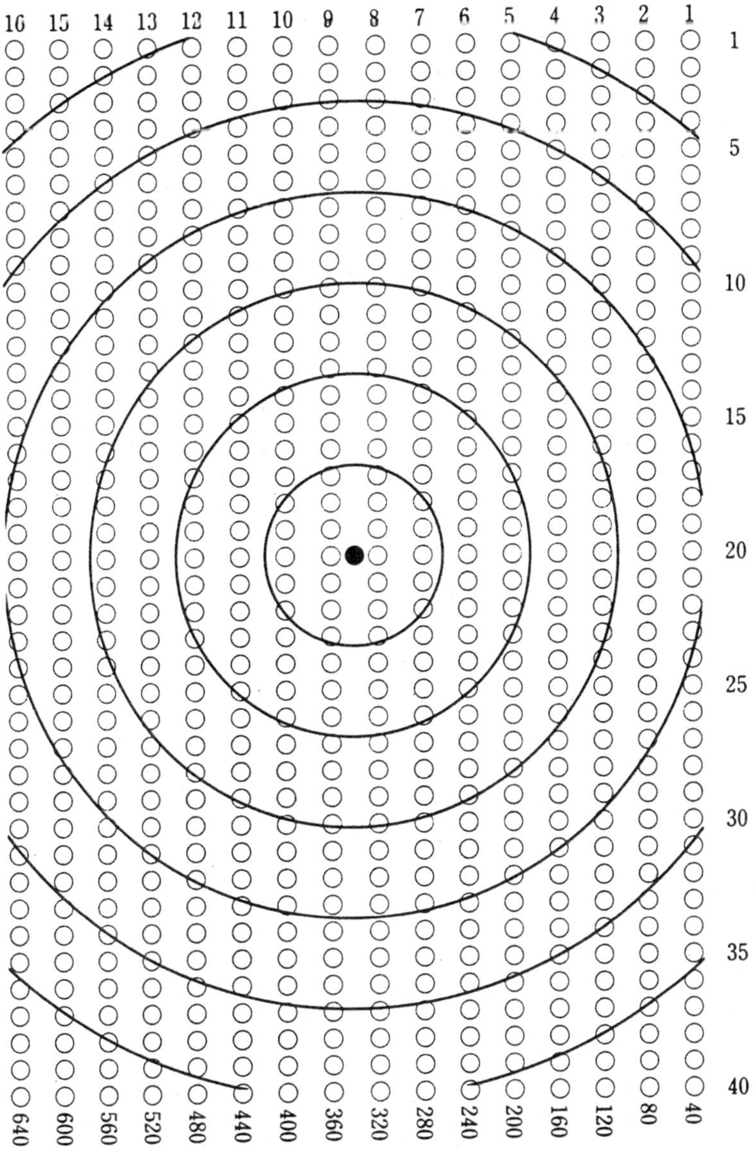

⑤讀視野擴大訓練(2)（參照本文158頁）

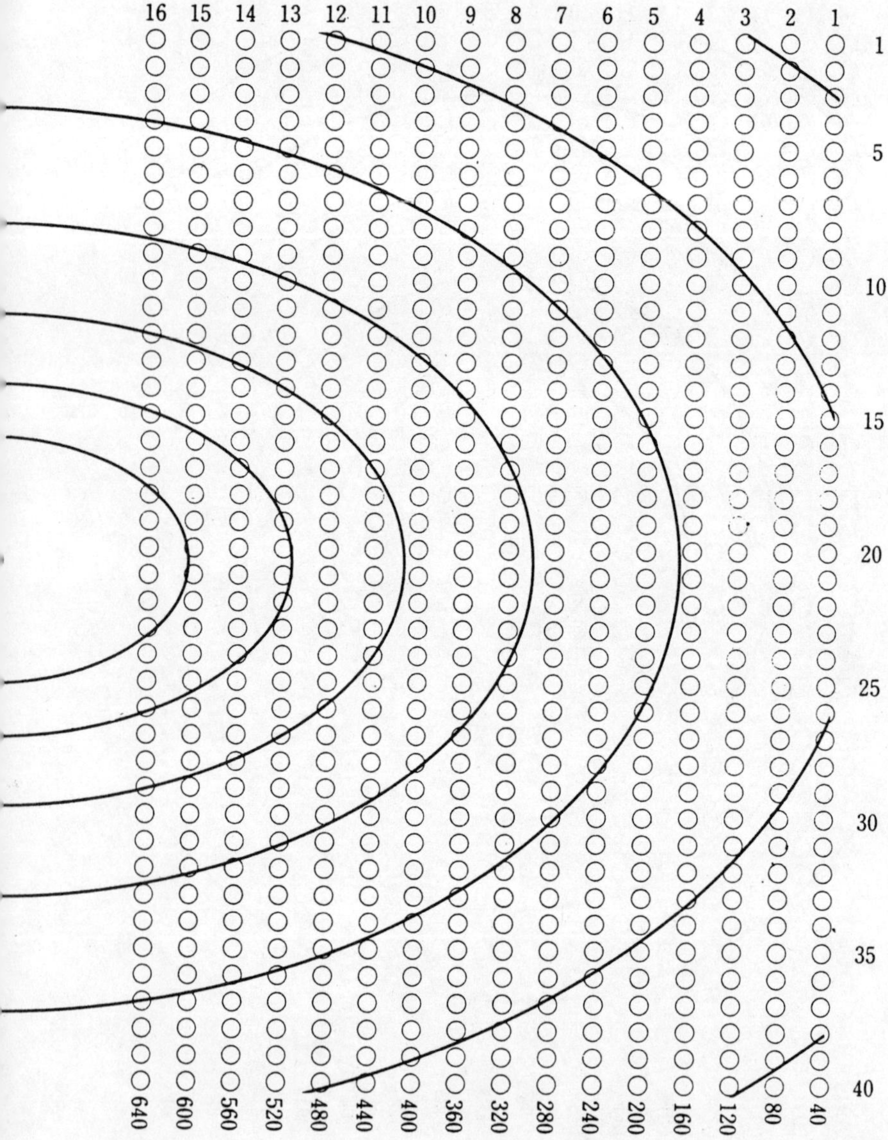

⑤讀視野擴大

利用「隨時懷抱夢想！」渡過負面思考的波瀾

如果說：「終於研發出一種夢的新藥，它可以使人立即產生正面思考。」相信任何人必爭先恐後地洽詢：「什麼藥？快告訴我！」因爲，如果可以速成又簡單地轉變成正面思考，等於是被賦予邁向人生成功的希望之鎖。難道有這麼美好的事嗎？

就是有這麼美好的事。不過，並不是一般的藥品，也不昂貴，任何人都能免費獲得的方法。只要付諸實行，你的生活將變得愉快、開朗，一步步邁向成功的坦途。它是我開發的「三種神器」，代碼是「ＤＳＳ」。

首先，產生正面思考之夢的新藥，事實上就是「夢（Dream）」。但並非睡覺時所做的夢，而是我們內心擁有的快樂之夢，希望之『夢』。日本名演員吉永小百合所唱的「隨時懷抱夢想！」、迪士尼電影中常用的曲子「向星星許願！」等，都是我最喜歡的歌曲。因爲，它們使人擁有產生正面思考之首要方法的夢，與溶入這種夢串連在一起。

每個人在小時候一定要擁有甜夢而令人期待的夢想，本來想當什麼，想變成什麼等等。（中略）編織一些令人雀躍的想法，幻想自己所變成的模樣，而在空想中自得其樂。

被稱爲「做夢的男人（或女人）」「永遠的年輕人」「逐夢的冒險家」的人們，永遠不失赤子之心，積極而熱心，其實我也常有這類封號。對某些事全心投注心力，無時不刻追求夢想，才有這樣的結果。

⑥「遊行的法則」訓練（參照本文158頁）

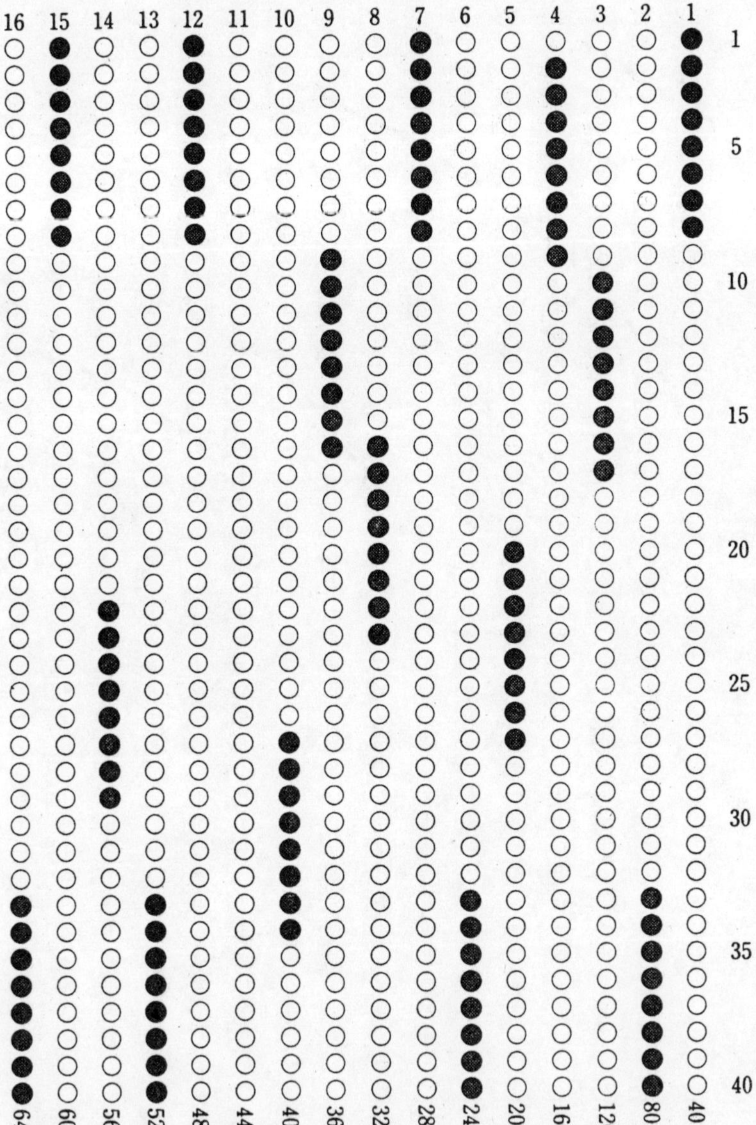

⑥「遊行的法則」

他們不論年紀多大，總是昂頭闊步愉快地向前走。他們是具備「擁有夢想的正面思考」的人。

當然，劈頭劈腦就叫人擁有夢想，實在很難。因爲，腦海中會立即出現陰沈的負面想法，批評那類夢想，企圖給予抹殺。同時，會誘導這樣的念頭：「不要胡思亂想做白日夢，倒不如關心一下現實的冷酷面！」意圖拉你走向暗淡的負面思考。

但是，唯有這個時候才應全力反抗，讓思維轉向快樂的夢想，並且沈浸其中。剛開始也許有些困難，習慣之後會變成一種習性而可以付諸實行。

不必迎合他人去做同樣的夢想。〔中略〕把自幼最渴望的事情，或最想實現的夢想，當做「My dream」去實現。

縱然這個夢想不能達成，或無法實現而幻滅也無妨。只要愈挫愈勇，再架築夢想就好了。像這樣「隨時懷抱夢想！」。〔中略〕當不安、恐懼或辛酸等狂瀾正要襲擊而來時，遨翔在快樂的幻想世界裡。

據說扮演女主角的優秀歌舞劇演員，在飾演悲情的角色時，會事先把手放入冷水中，在上舞台前把手冷敷。

如此，手與身體覺得冷而產生悲傷的情愫，才能演出眞正悲情的角色。像這樣外在寒冷的狀況會營造冷淡的感情，同時也會對思考造成影響。

C・應用訓練各級閱讀法的教材閱讀

（參照本文167頁）

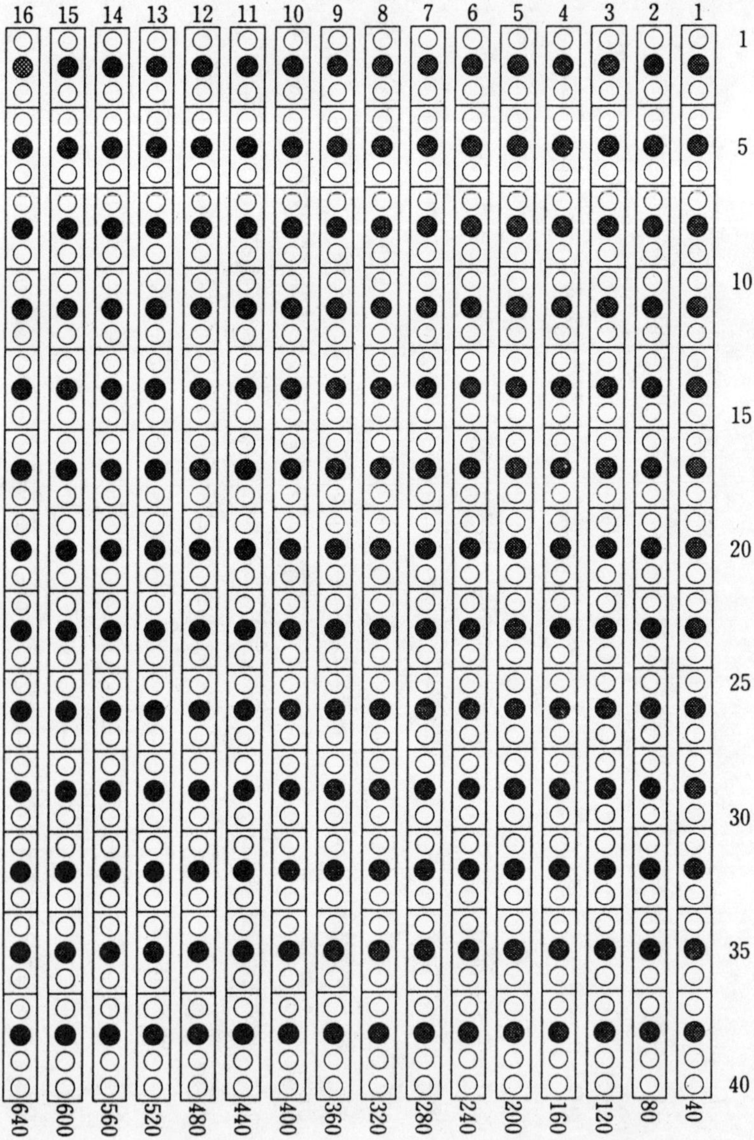

相反地，即使辛酸而情緒消沈，若刻意強顏歡笑，也會出現奇妙的現象。自己及周遭的氣氛會與笑容漸漸搭上步調，不論處事或談話，會逐漸產生與笑容搭調的愉快氣氛。沒有人會因爲別人綻放的笑容而覺得不舒服。通常會回報一個笑容。

暗淡陰沈的氣氛，會因此轉變成笑顏逐開的愉快氣氛。同時，思考也朝向正面發展。我自己甚至對它的效果感到驚訝。以前，我曾經緊繃著一張暗淡的臉，彷彿全世界的不幸全部由我一個人扛著似的。但是，這種態度是沒有人會理睬的。

即使辛酸也要帶著微笑。如此一來，何其神妙地，自己的情緒及思考也開始變得開朗，周遭的氣氛也跟著好轉起來。自己甚至納悶，何以未曾察覺有如此美妙的方法。

所以，希望讀者們也能認識這麼卓越又有價值的方法。

夢的特效新藥之第二法門是「微笑（Smile）」。它是代碼DSS中的S。正如幕府將軍德川家康攻取豐臣家的大阪城時，先掩埋其外城壕一樣，正面思考也許可以比喻是攻佔笑容這個外城壕。

臉孔上有數十種肌肉，其中有所謂的表情肌。它又分爲綻放笑容時常動的肌肉，以及發怒時常動的肌肉。換言之，製造笑容的笑容肌較發達的人，會有柔和幸福的表情，福運、好運隨之而來。

閱讀（參照本文172頁）

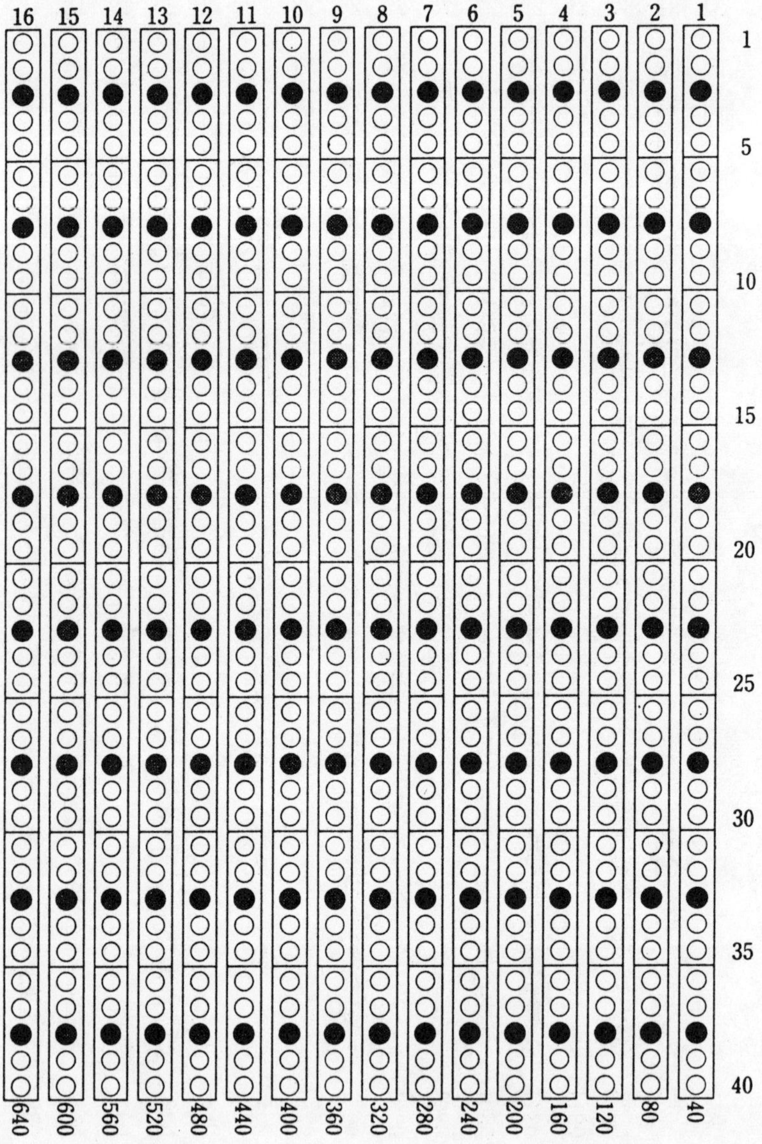
16 15 14 13 12 11 10 9 8 7 6 5 4 3 2 1
1
5
10
15
20
25
30
35
40
640 600 560 520 480 440 400 360 320 280 240 200 160 120 80 40

事實上，有些人光看他的臉，就令人覺得舒坦，那是一種歡顏、溫顏，佛教中也有一個了不起的布施叫「顏施」，它教導我們用溫顏與人接觸，是多麼令人舒坦又能激勵人的一件事。

相反地，發怒或意氣消沈時，與之關連的表情肌必特別發達，這種人的臉透露出不善、暗淡與惡相。不希望變成這樣。

利用訓練與習慣，可以讓笑容肌逐漸發達。就像運動選手鍛鍊手腕、腳部肌肉使之發達一樣。務必給予訓練使其習慣化。有時候也許有難過得笑不出來的時候。這是潛在意識抗拒展露笑容。但是，即使是這種時候也試著發出微笑。

邁向正面人生的「外在舉止」

DSS的最後S是筆直（Straight）的S，而背肌（Sesuji）也是S開頭。

總之，導向正面思考的第三法門是，談話時挺直背肌、正視著對方。這和前述第二法門的微笑併用也有效果。背脊伸直、面帶笑容注視著對方時，會讓人產生可靠、親切的印象，並獲得多數對方的重視，贏得對方的笑容，自己也覺得高興。而且，和第一法門的愉快夢想併用更具效果。正視自己的優點，帶著自信抬頭挺胸。

譬如，將有一個重大會晤或舉行會議時，前往會議的途中也有挺直背脊昂首闊步，並帶著愉快的心情，回想接下來將會面的人曾經有過的最美好的事情。

閱讀（參照本文172頁）

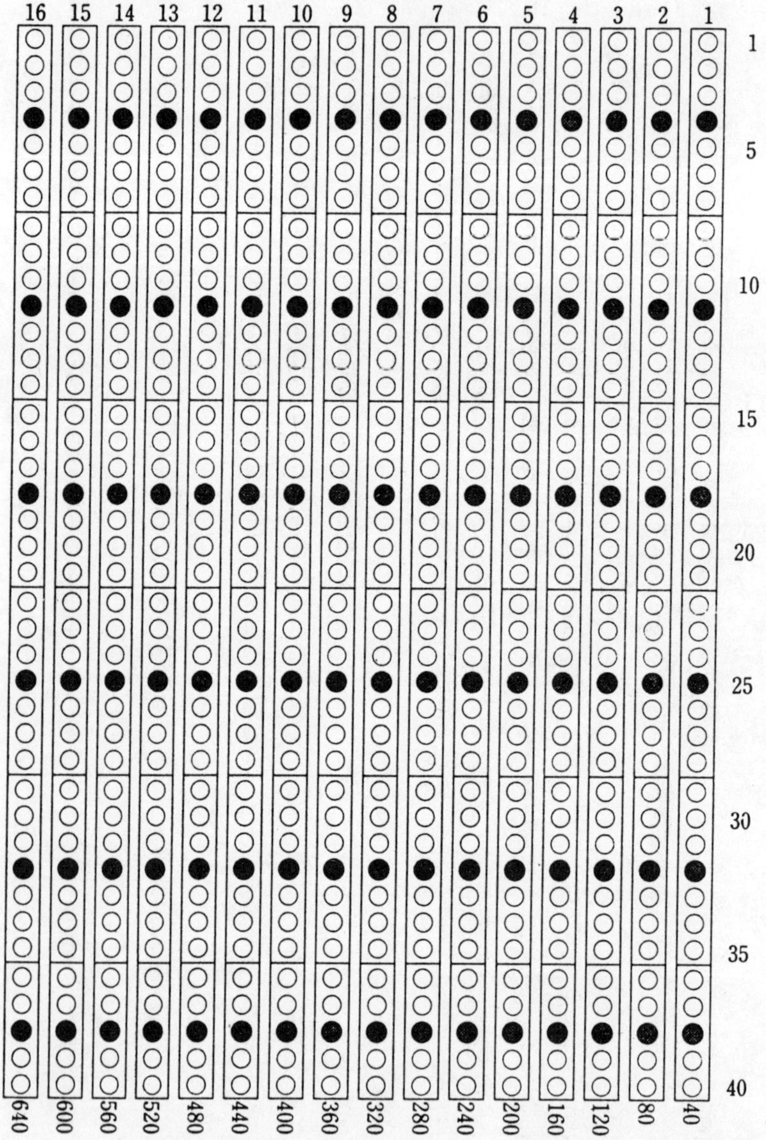

如果是和複數人見面，就回想其中令自己印象最好的那個人的事。接著，想像帶著微笑愉快地與人協商、談話的場面。

前往的路途中絕對不可彎腰駝背或擔心是否會出現不好的結果。因爲，那只會誘導情況往壞處發展。相反地，要先從外在表現出開朗、愉快。

綻放微笑，表現出開朗的態度，是要利用這種思考改善自己，所以，不必有任何顧忌，只管喜悅地付諸實行。

成功的秘訣是加上「E」持續做「DSS」

在美國的流通業界有一個成功的標語：「EDLP（Everyday Low Price）。這是最近在各漢堡店也開始打出的口號，就是每天提供廉價的東西。

換言之，並非在某特定日廉售漢堡，而是節約浪費，改良活動以創新販賣體制，期使每天能用便宜的價格提供商品給顧客。這種想法是建立一個每天可以用便宜價格提供服務給顧客的組織。

簡單地說，這個標語的主旨在於不做暫時的工夫，而是平日下工夫精益求精。事實上，實踐此法則的商店都是繁榮的。

同樣地，前述的三大法門也應該加上「E（everyday）。如果每天像這樣鍛鍊自己，下工夫努力並持之以恆，保證成功在望。

閱讀（參照本文172頁）

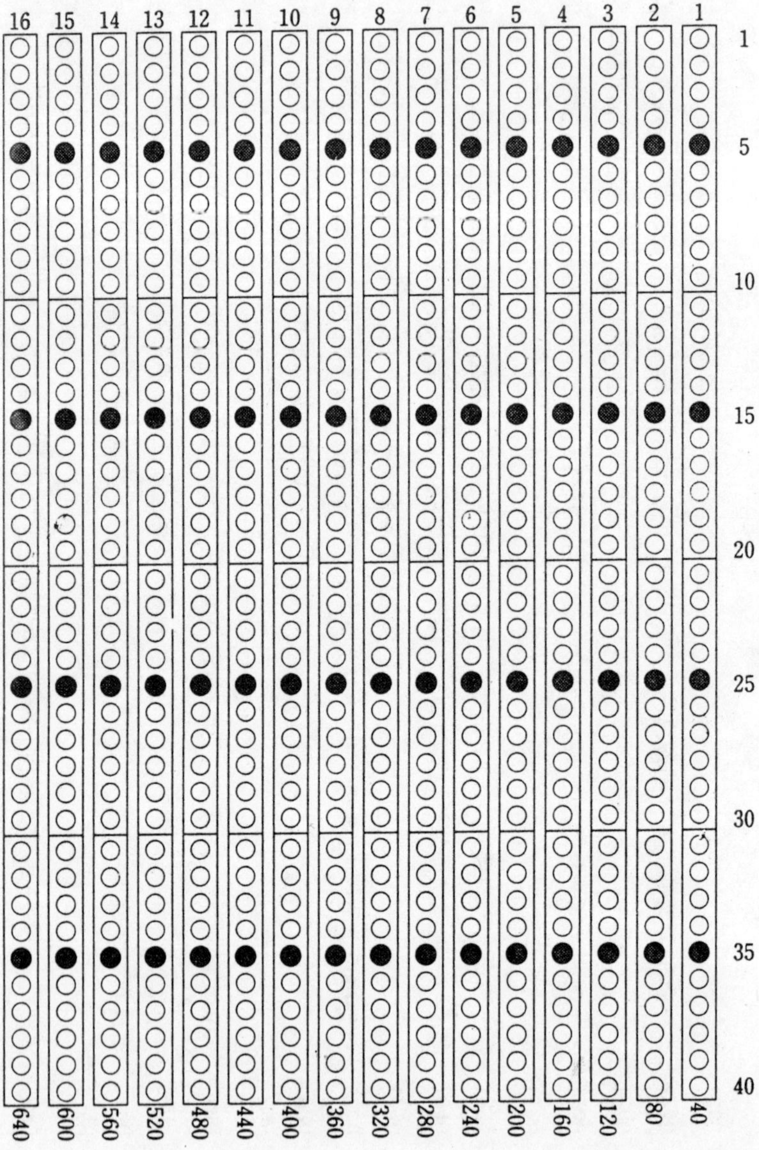
16 15 14 13 12 11 10 9 8 7 6 5 4 3 2 1
1
5
10
15
20
25
30
35
40
640 600 560 520 480 440 400 360 320 280 240 200 160 120 80 40

我〔中略〕把綜合而成的標語，貼在每天可以看見自己臉孔的洗臉台上鏡子的旁邊，以增強效果，希望讀者也務必試一試。

改正缺點不如發揮專長

任何人對自己擅長的事無所不知，即使是艱深的術語也朗朗上口。相信各位也曾經驗過回想自己的專長時，腦筋的運轉是何等驚人地快速吧？

甚至有一句俗話說：「喜歡才會靈巧」，人的生命意義亦然。只要做自己喜歡的事，五體四肢與腦筋就開始運轉了。

如同前面的說明，因爲腦細胞也會對喜歡的事，做好全力運轉的準備。所以，改善腦力的首要秘訣是，具備生命意義，發揮個人的嗜好與專長。

屢次介紹的船井幸雄先生所編著的『專長伸展法』，是最巧妙應用思考好的事、專長、正面的事，更會吸引好的事、專長、正面的事聚集而來的生命力法則。

這可以說是船井先生從數十年的經驗，所創造出來的卓越經營管理顧問之技術。

也許它已成爲躍居世界屈指可數的經營管理顧問公司，在日本指導四千以上的經營團體之船井綜合研究所的基本秘訣之一。不僅是公司的經營，對人生的經營也非常有幫助。

譬如，前往某公司指導時，據說船井先生一定先找那家公司的優點。而他會提供發揮那些優點的建議。如果是商店，通常會建議他們把賣況最佳的賣場再擴大。

閱讀（參照本文172頁）

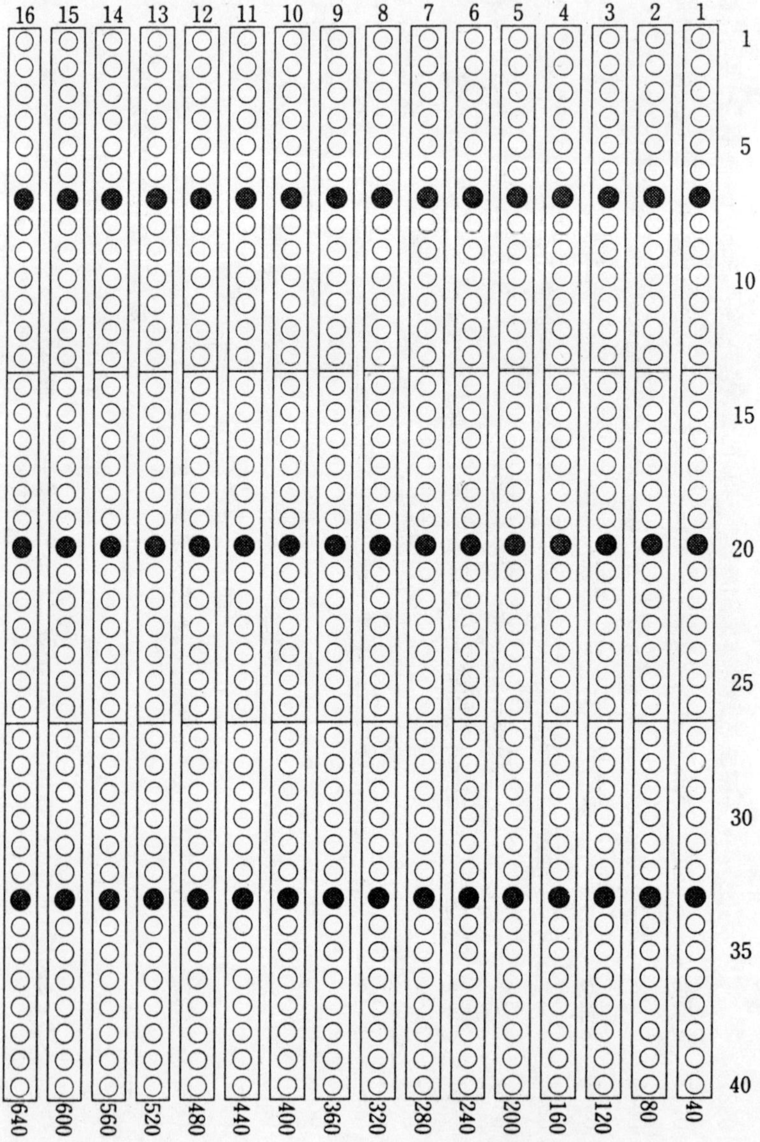
16 15 14 13 12 11 10 9 8 7 6 5 4 3 2 1
1 5 10 15 20 25 30 35 40
640 600 560 520 480 440 400 360 320 280 240 200 160 120 80 40

5級　讀13字——1/3行

據說經由這樣的指導，那公司活力重現，營業額與業績蒸蒸日上。這就是所謂的商店之專長、得意範疇、希望範疇。

而不良的方法中，有所謂的「缺點的改正法」。這是指摘對方的缺點，要求改正的方法。據說幾乎沒有成功的例子。

所以，優點永遠與幸運、福氣、開朗相隨。船井先生的理念就是：好好思考這些優點。換言之，藉著在自己的思考中放入優點等開朗的思緒，以這個思考爲核心，讓各式各樣的幸運一再地擴大、伸展。

個人也是一樣。絕對沒有毫無優點的人。自認沒有優點的人，是未曾察覺或不想去發覺的人。而自認是缺點的背後，多半隱藏著優點。神經質而內向的人，事實上在這個特質的背後有它的優點，能夠深入思考內心的問題，小心留意各種事情、現象，樂於學習，具有達到高水準的素質。三心兩意，情緒不穩定的人，背地裡卻具有善良的人品，積極又富社交手腕的優點。

讓腦細胞未使用的部分活動

覺得自己的腦筋不好，通常是指記憶力或集中力的退化，對有此煩惱的當事者而言，是非常嚴重的問題。

因此，我們來想想增強這二種機能的方法吧！

閱讀（參照本文172頁）

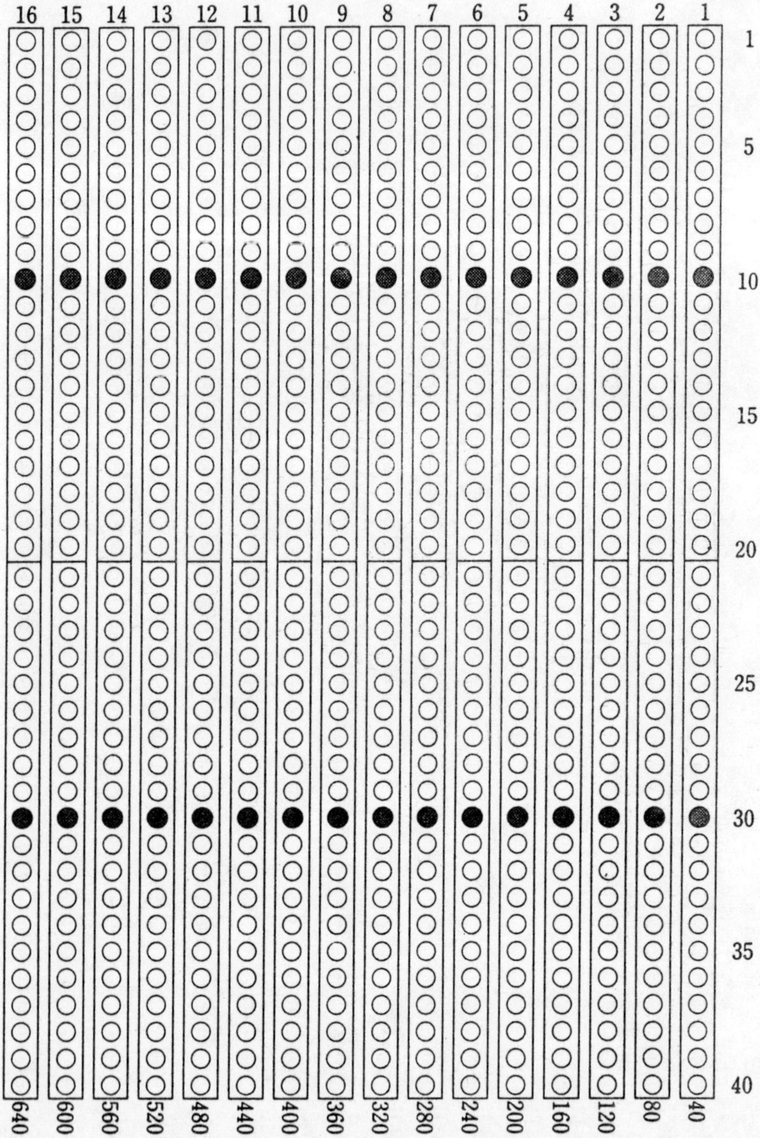
16 15 14 13 12 11 10 9 8 7 6 5 4 3 2 1
1
5
10
15
20
25
30
35
40
640 600 560 520 480 440 400 360 320 280 240 200 160 120 80 40

自己覺得記性差、記憶力本來就不好、腦筋不靈光而煩惱。或認爲最近急速退化的人相當多。然而記性爲何不好呢？覺得別人的記性好，就只有自己的記性那麼差勁，懷疑是否來自父母的遺傳而怨恨父母，報怨自己的身世。

結果，有些人因此對自己感到悲觀而陷入絕望，詛咒自己所誕生的這個世界，懷恨記憶力似乎不錯的人或倚賴他們。這些人當中，有些人爲此而煩惱、緊張、不安，對記憶力這麼差的自己，有一種將來不知如何是好的隱憂，有時因不安而無法入眠。

但是，認爲「自己的腦筋不好、記性差、記憶力不好」，其實對自己是有損無益的錯誤思考法。因爲，任何人都具備記憶的能力，它幾乎潛伏著無限的可能性。只不過沒有巧妙地讓它產生活動罷了。

自認腦筋不好的人，只使用五分之一的腦細胞。腦細胞大約有二百四十億個，而所謂「記憶」是由腦細胞之間的串連、組合所形成。如果思考這些組合，可能性將無限地擴大。假設每一個腦細胞有三個組合，光是如此，就有二百四十億的三倍，簡直是天文數字。

換言之，只要把五分之一提高到三分之一就是天才了。所以，不論是記憶力好的人或自認不佳的人，在能力上幾乎沒有太大差別。

另外，以最近的研究來看，各細胞大約有三千左右的線粒體(mitochondria)，它們會利用輸送到細胞的氧氣或葡萄糖，立即傳送出ATP的熱能。簡言之，會製造像電池的東西。

閱讀（參照本文175頁）

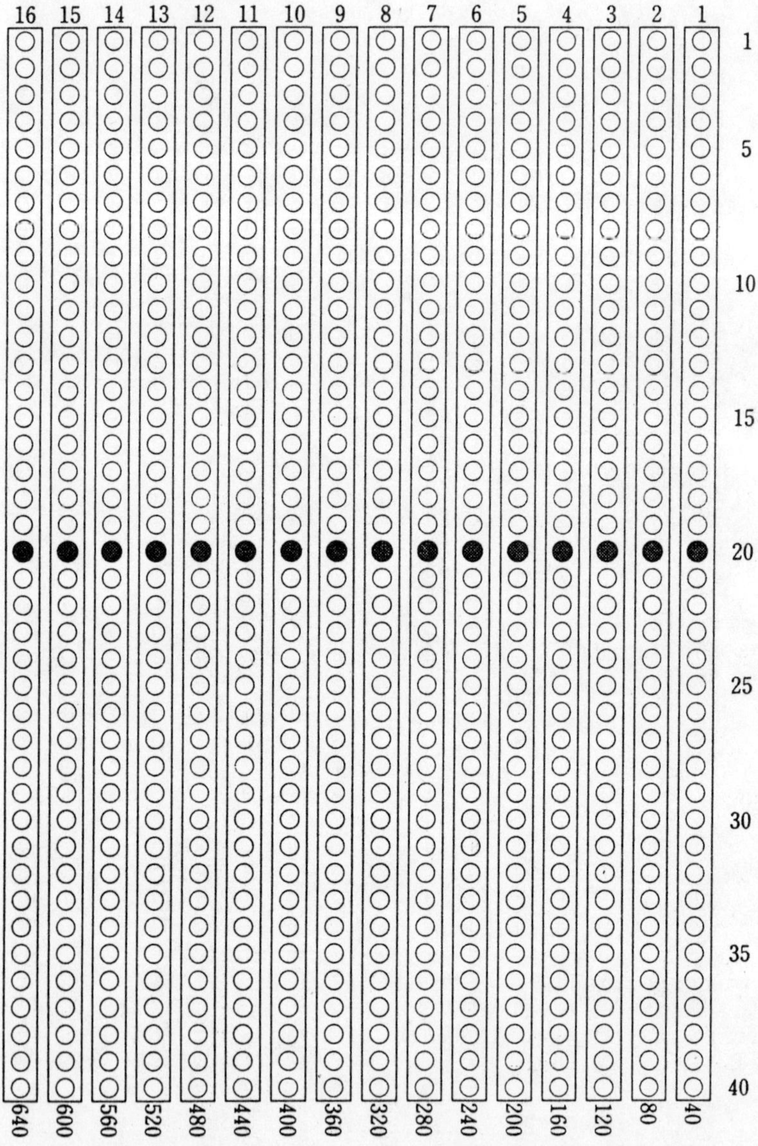
16 15 14 13 12 11 10 9 8 7 6 5 4 3 2 1
1
5
10
15
20
25
30
35
40
640 600 560 520 480 440 400 360 320 280 240 200 160 120 80 40

但是，據說三千左右的線粒體中，多數是靜止狀態。當它們接獲目標時，這些靜止的線粒體才開始活動。這些靜止中的線粒體群，只要稍有動作，腦就會活性化，而只要某些腦細胞產生活性化，它們就會串連成記憶。所以，只要想想有那麼多靜止中的線粒體，就應該可以了解其潛在的可能性有多大。

換句話說，不是腦筋不好，只是沒有好好地讓腦細胞活動罷了。

了解記憶力減退的原因研擬增強對策

那麼，既然任何人都具有潛能，爲何有人會覺得記憶力衰退或減弱呢?有關這一點，可能有以下二個主要原因。只要了解原因，再一一克服即可。

①人生缺乏目的意識——→建立生命意義，自我實現的目標。

人生缺乏目的意識時，對事物的關心或好奇心會變得平淡，因此無意去記憶事物，而記憶力也變壞。大家都有這種經驗吧，當碰到自己擅長或有興趣的領域，記憶力之好令周遭人都驚訝不已。

相反地，如果是不感興趣的領域，既不會想記住它，也很難記得。

人生一旦有目標，對其周邊事物的關心會增強，而那方面的記憶力也會提高。因此，如果明白每天生活的人生意義，爲何要生存?爲何每天會發生林林總總的事?它有什麼樣的意義?了解這些基本問題，對平日所發生的事會較關心，從而記憶力也會增強。

閱讀（參照本文175頁）

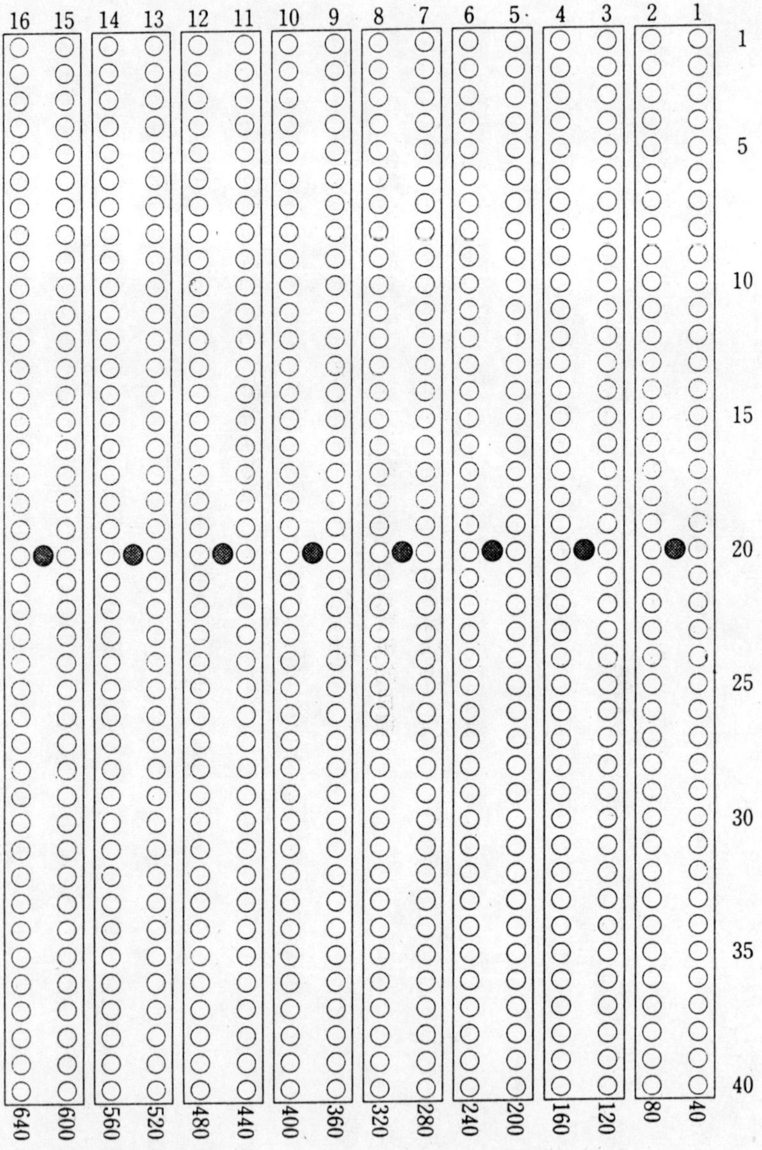
16 15 14 13 12 11 10 9 8 7 6 5 4 3 2 1
1
5
10
15
20
25
30
35
40
640 600 560 520 480 440 400 360 320 280 240 200 160 120 80 40

但是，如果不明白自己在人生中所扮演的角色、目標、目的，自己爲何而生？又不去思考這些問題，當然對平日所發生的事漠不關心，記憶力也相對地惡化。

因此，不是枝微末節或細瑣小事的解決，而是明快地建立自己的目的、角色、目標，這才是最根本又基本的因應之道。

②不信任自己的迷思→用正面思考對自己的潛能產生信心並發掘潛能

記憶力本來就比別人差、記憶力有缺陷……具有這種固定觀念的人，很難突破這樣的迷思，又頑固地堅信不疑，造成記得住的東西也記不起來，結果再次認定是自己的腦筋差勁。事實上，人具有無限記憶力的可能。

但是，因爲錯誤的固定觀念，而妨害自動記憶的能力。

總之，雖然自己有極大的能力，卻不信任自己的能力。責備自己不中用、缺乏能力是件輕而易舉的事，甚至有自虐般的快感。而自憐自艾因缺乏記憶力而顯得可憐兮兮，也是一種安逸的逃避方式，結果這種觀念只會使自己越來越糟糕。

自覺記憶力失落或退化而突然感到不安、緊張，只會因過度慌張而使記憶力變得遲鈍。因慌亂、焦急而陷入緊張，造成平日駕輕就熟的事務也無法處理的狀況，任何人都有過這種經驗。

記憶力也是一樣，受擔憂、緊張的壓迫時，更無法記得住。

閱讀（參照本文175頁）

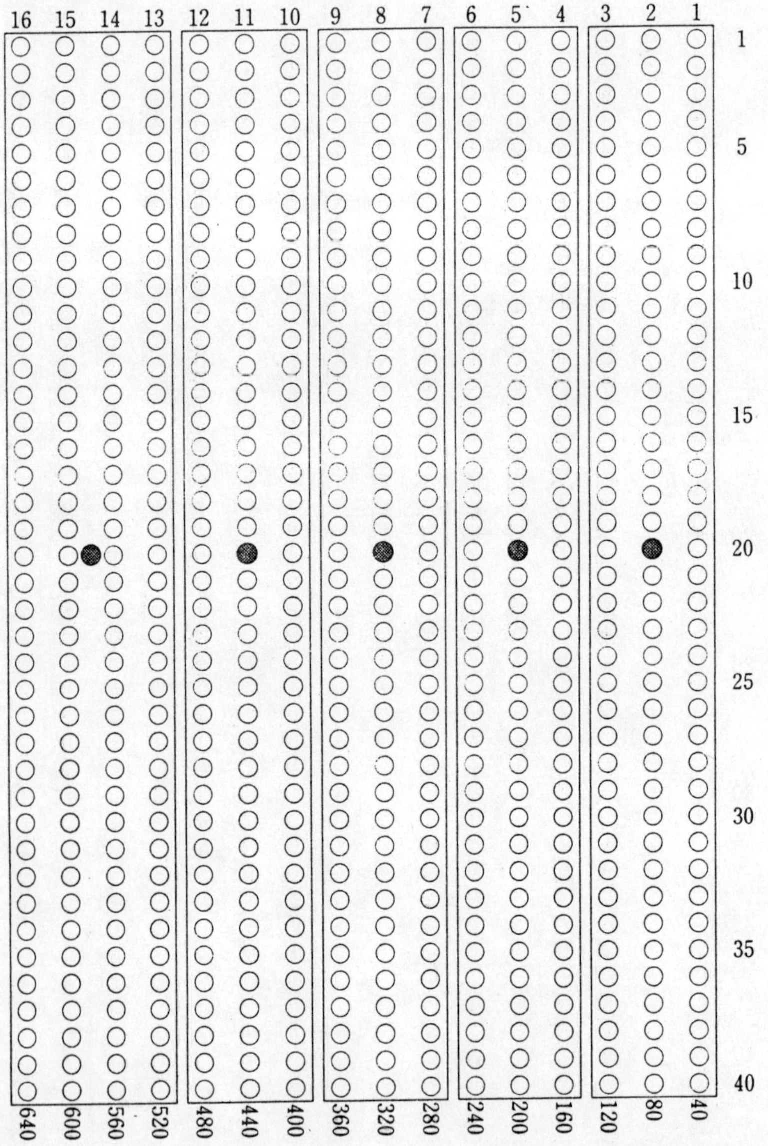
16 15 14 13 12 11 10 9 8 7 6 5 4 3 2 1
1 5 10 15 20 25 30 35 40
640 600 560 520 480 440 400 360 320 280 240 200 160 120 80 40

9級　讀3行

因爲上述的原因，其實有了不起的能力，記憶力的發揮卻遭受阻礙。因此，如果消除這些原因，記憶力就能恢復，而累積這樣的改善之後，一定可以擁有優越的記憶力。

這二種原因也是來自自己錯誤的觀念，並非天生機能上的原因。而消除它們，原本正常的記憶力就能恢復。

各位，對自己的潛能建立信心並勇於發掘它吧！

累積精簡化的單位以強化集中力

記憶力再好，如果缺乏集中力，處理事物的速度會變得遲緩。如此可能造成喪失自信，甚至以爲腦筋變壞了。無法集中自己的思維，精神分散、注意力散漫而錯誤百出、思緒紛亂而無法集中，這些狀況惡化造成無法完成任務而開始懷疑自己的能力。最後，心情變得空虛，無法體會成就感與具體而充實的時間，陷入極端痛苦而無聊的境地。

回想因集中力不足所造成的無數失敗的痛苦經驗而責備自己，或擔心缺乏集中力的未來可能一塌糊塗，而活在節節高升的不安中。

影響集中力與記憶力的原因是完全相同的。和記憶力一樣，任何人都具備集中力。相對於記憶力是以較長的期間在腦細胞內保持情報，集中力是以較短的時間，譬如十分鐘、二十分鐘或一個小時的時間，放出所有的熱能支撐活動。

閱讀（參照本文175頁）

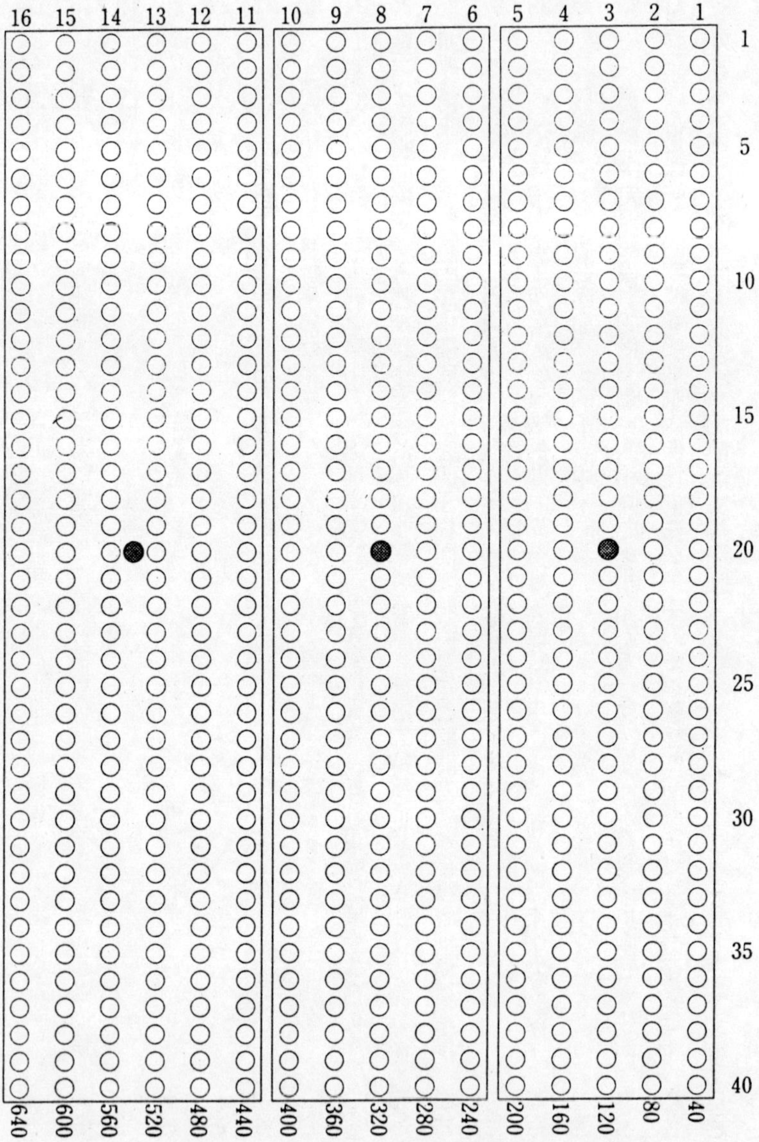
16 15 14 13 12 11 10 9 8 7 6 5 4 3 2 1
1
5
10
15
20
25
30
35
40
640 600 560 520 480 440 400 360 320 280 240 200 160 120 80 40

而這種能力如前所述，大約二百四十億個腦細胞中，還有三分之二尚未活用，想想如此龐大的預備力，不難了解任何人都具備著潛力。同時，再想想其中生產熱能的各細胞中，大約三千左右的線粒體之絕大部分，是處於等候指示的靜止狀態下，就能明白所有的人都具備集中力的事實。

記憶力是長時間小熱能，而集中力的差別是短時間大熱能，但支援這些活動的腦之潛能，是天文數字般地龐大。

但是，任何人都無法長時間保持集中力，所以，無法長時間集中思維也不必擔心。以我個人而言，讀書通常以十五分鐘爲一單位。超過這個時間時，眼睛會疲勞而集中力也低落。因此，閱讀後會做一些雜事、休息五分鐘。以此爲一個單位，所以，一個鐘頭大約有三個單位的讀書時間。如此一來，既不會疲倦又可以帶著新鮮的心情，反覆數次活用，可以集中思維的時間。

危機感和逼迫感是促使提高記憶力與集中力的重要關鍵

根據體驗者表示，當攀登岩石，足部滑下來時；或因發生事故，生命遭到危險時，尤其是孩提時代甚至過去發生的事，完全喪失記憶的人也不少。

當上司說：「這個月的銷售業績若沒有達到一百萬日元以上，下個月就不必來上班。」或「今天不好好背，明天就不能通過考試。」如果你聽到此種情況時，將會採取何種行動？

閱讀（參照本文176頁）

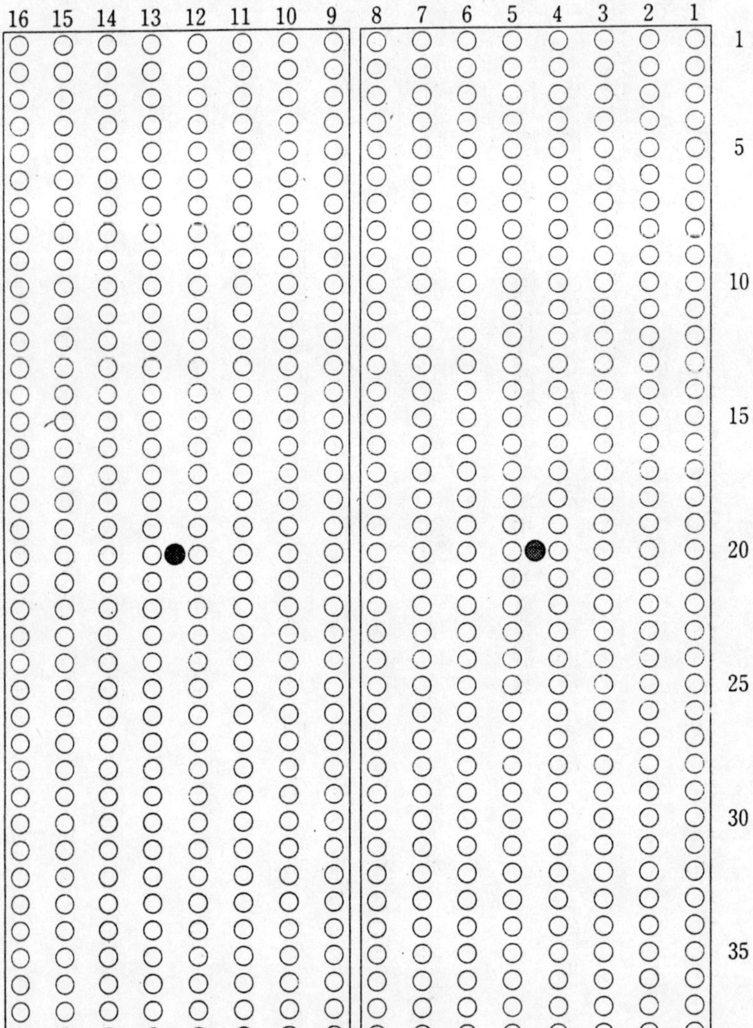
16 15 14 13 12 11 10 9 8 7 6 5 4 3 2 1
1
5
10
15
20
25
30
35
40
640 600 560 520 480 440 400 360 320 280 240 200 160 120 80 40

諸如此類的問題，均關係到我們生存的利害，當你面臨必須達成任務，或面臨迫切的危機狀態時，任何人都會很自然的出現集中力與記憶力來。此種逼迫感、緊迫感乃是提高記憶力與集中力的主要關鍵。

如果你遇到下列的情形，又將如何？

「擔任社長後全力以赴地投球的兩年期間，無法爲自己打算。因此，我必須放鬆我的肩力，使其形成自然的狀態。」

這是柔道五段高手，鈴木博章氏擔任神戶製鋼所社長時所提出的抱負。

鈴木氏在任職的一年六個月期間，由於勤練柔道形成一七六公分高、八十八公斤重的碩壯身材，但因爲他激烈的工作，和精神壓力的重擔負荷，以致造成靜脈瘤破裂，導致心臟停止而逝世。

遭受石油危機的直接衝激下，日本第五大鋼鐵業界的神戶製鋼所，在一九七五年及七六年的經營業績，超過二百億日元的巨幅赤字。在此情況下，是由鈴木氏擔任社長的職位。雖然鈴木氏全力以赴，發揮十二萬分的能力，可是身體卻無法支持。

一九七七年九月由日本紅軍所率領的劫持飛機事件時，由於航空機機長冷靜的判斷與處理，使乘客平安無事的脫離飛機，成功的達成職務。但機長和劫機者搏鬥，因過於緊張導致胃潰瘍，且身體中風只好坐輪椅下飛機。這就是遭受四天的緊張，精神無法忍受所致。

閱讀（參照本文176頁）

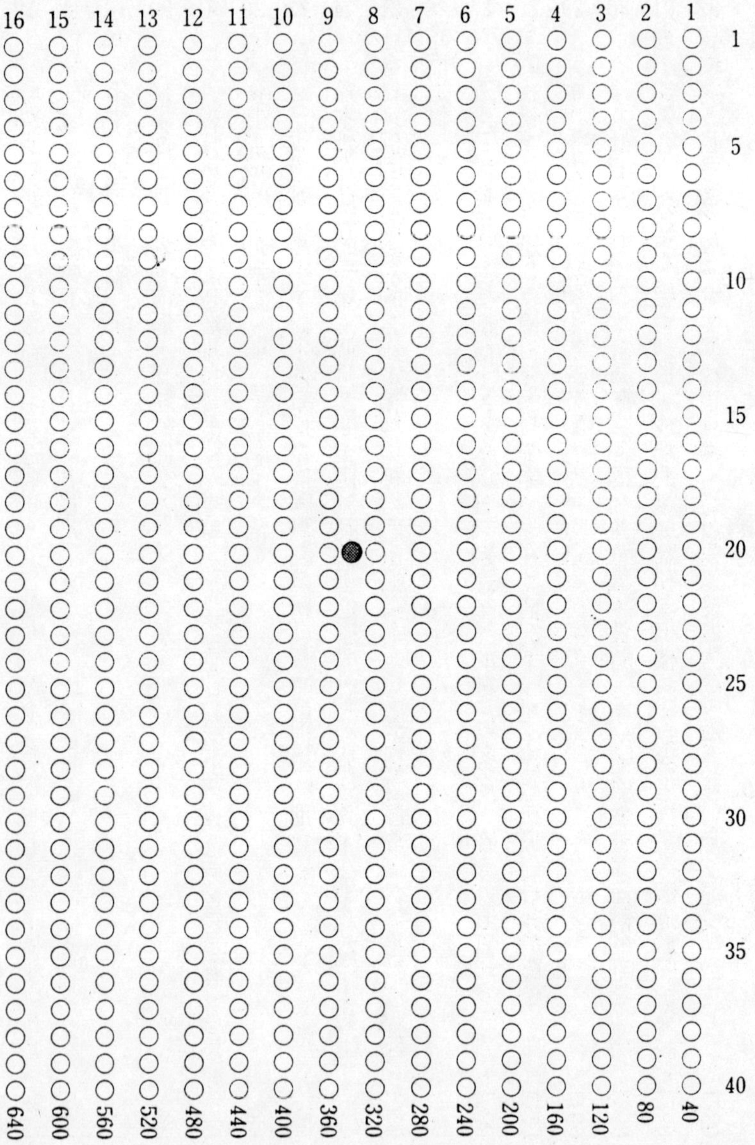
16 15 14 13 12 11 10 9 8 7 6 5 4 3 2 1
1
5
10
15
20
25
30
35
40
640 600 560 520 480 440 400 360 320 280 240 200 160 120 80 40

逼迫感、緊張感是發揮記憶力與集中力不可或缺的條件，持續逼迫感、緊張感經常會因身體的緊張，及負荷量過大，致使身體變殘廢。

在你周圍是不是曾有一、三個這樣實際的例子呢？在目前緊張、忙碌的情況裡。此種人不斷的在增加，學生發生胃潰瘍，身體受損也是因此而起。

對於喜歡的事可擴大記憶

爲什麼會產生此種事情呢？我想與前面提過的〔I・S〕和〔I→O〕間有關係所致。因不得不工作，萬一做錯事會受上司責難或被顧客埋怨，均是造成厭惡工作的主要原因。然而我們不得不記住工作內容，而且必須在當日完成，就得強求自己來記憶。

在此情況下，常爲了擺脫此種困境及目前的狀況，必須拓大印象的記號，並會「趕快記住、集中精神記住」，傳達至〔I・S〕中。從此，有效性的集中，可以將一切事都記憶起來。

但由於討厭此事，因此印象擴大，而能力未必能充分發揮出來，造成精神恍惚，過於緊張，患胃病而損壞身體。

然而，對自己喜好的工作，從外界給予緊迫的刺激，會由〔S→O〕傳送至〔I・S〕並擴大印象的信號。由於擴大信號和喜歡的條件互相結合，因此由〔I→O〕迅速傳遞至身體各部位。於是從〔S→O〕到〔I・S〕迅速傳送擴大印象的信號。

訓練結果記錄表（參照本文140頁）

練習	總文字數	所需時間	分速	答對數
(1)	962			
(2)	888			
(3)	703			
(4)	818			
(5)	851			
(6)	967			
(7)	1004			
(8)	819			

理解力測驗的解答

	問1	問2	問3	問4	問5
訓練①（預習測驗）	2	4	1	2	3
訓練②	1	2	1	2	2
訓練③	4	1	3	2	1
訓練④	3	1	2	4	2
訓練⑤	1	2	4	1	1
訓練⑥（大致吻合即可）	德文書	法文書	英美書	獅子像	和服
訓練⑦	親	監	工	自	可
訓練⑧	漫	人	可	學生	夫人

大展出版社有限公司
品冠文化出版社

圖書目錄

地址：台北市北投區(石牌)
致遠一路二段12巷1號
電話：(02) 28236031
28236033
28233123
郵撥：01669551＜大展＞
19346241＜品冠＞
傳真：(02) 28272069

·少年偵探·品冠編號66

1.	怪盜二十面相	(精)	江戶川亂步著	特價189元
2.	少年偵探團	(精)	江戶川亂步著	特價189元
3.	妖怪博士	(精)	江戶川亂步著	特價189元
4.	大金塊	(精)	江戶川亂步著	特價230元
5.	青銅魔人	(精)	江戶川亂步著	特價230元
6.	地底魔術王	(精)	江戶川亂步著	特價230元
7.	透明怪人	(精)	江戶川亂步著	特價230元
8.	怪人四十面相	(精)	江戶川亂步著	特價230元
9.	宇宙怪人	(精)	江戶川亂步著	特價230元
10.	恐怖的鐵塔王國	(精)	江戶川亂步著	特價230元
11.	灰色巨人	(精)	江戶川亂步著	特價230元
12.	海底魔術師	(精)	江戶川亂步著	特價230元
13.	黃金豹	(精)	江戶川亂步著	特價230元
14.	魔法博士	(精)	江戶川亂步著	特價230元
15.	馬戲怪人	(精)	江戶川亂步著	特價230元
16.	魔人銅鑼	(精)	江戶川亂步著	特價230元
17.	魔法人偶	(精)	江戶川亂步著	特價230元
18.	奇面城的秘密	(精)	江戶川亂步著	特價230元
19.	夜光人	(精)	江戶川亂步著	特價230元
20.	塔上的魔術師	(精)	江戶川亂步著	特價230元
21.	鐵人Q	(精)	江戶川亂步著	特價230元
22.	假面恐怖王	(精)	江戶川亂步著	特價230元
23.	電人M	(精)	江戶川亂步著	特價230元
24.	二十面相的詛咒	(精)	江戶川亂步著	特價230元
25.	飛天二十面相	(精)	江戶川亂步著	特價230元
26.	黃金怪獸	(精)	江戶川亂步著	特價230元

·生活廣場·品冠編號61

1.	366天誕生星	李芳黛譯	280元
2.	366天誕生花與誕生石	李芳黛譯	280元
3.	科學命相	淺野八郎著	220元

4. 已知的他界科學 陳蒼杰譯 220元
5. 開拓未來的他界科學 陳蒼杰譯 220元
6. 世紀末變態心理犯罪檔案 沈永嘉譯 240元
7. 366天開運年鑑 林廷宇編著 230元
8. 色彩學與你 野村順一著 230元
9. 科學手相 淺野八郎著 230元
10. 你也能成為戀愛高手 柯富陽編著 220元
11. 血型與十二星座 許淑瑛編著 230元
12. 動物測驗—人性現形 淺野八郎著 200元
13. 愛情、幸福完全自測 淺野八郎著 200元
14. 輕鬆攻佔女性 趙奕世編著 230元
15. 解讀命運密碼 郭宗德著 200元
16. 由客家了解亞洲 高木桂藏著 220元

・女醫師系列・品冠編號 62

1. 子宮內膜症 國府田清子著 200元
2. 子宮肌瘤 黑島淳子著 200元
3. 上班女性的壓力症候群 池下育子著 200元
4. 漏尿、尿失禁 中田真木著 200元
5. 高齡生產 大鷹美子著 200元
6. 子宮癌 上坊敏子著 200元
7. 避孕 早乙女智子著 200元
8. 不孕症 中村春根著 200元
9. 生理痛與生理不順 堀口雅子著 200元
10. 更年期 野末悅子著 200元

・傳統民俗療法・品冠編號 63

1. 神奇刀療法 潘文雄著 200元
2. 神奇拍打療法 安在峰著 200元
3. 神奇拔罐療法 安在峰著 200元
4. 神奇艾灸療法 安在峰著 200元
5. 神奇貼敷療法 安在峰著 200元
6. 神奇薰洗療法 安在峰著 200元
7. 神奇耳穴療法 安在峰著 200元
8. 神奇指針療法 安在峰著 200元
9. 神奇藥酒療法 安在峰著 200元
10. 神奇藥茶療法 安在峰著 200元
11. 神奇推拿療法 張貴荷著 200元
12. 神奇止痛療法 漆 浩 著 200元

・常見病藥膳調養叢書・品冠編號 631

1. 脂肪肝四季飲食　蕭守貴著　200元
2. 高血壓四季飲食　秦玖剛著　200元
3. 慢性腎炎四季飲食　魏從強著　200元
4. 高脂血症四季飲食　薛輝著　200元
5. 慢性胃炎四季飲食　馬秉祥著　200元
6. 糖尿病四季飲食　王耀獻著　200元
7. 癌症四季飲食　李忠著　200元

・彩色圖解保健・品冠編號 64

1. 瘦身　主婦之友社　300元
2. 腰痛　主婦之友社　300元
3. 肩膀痠痛　主婦之友社　300元
4. 腰、膝、腳的疼痛　主婦之友社　300元
5. 壓力、精神疲勞　主婦之友社　300元
6. 眼睛疲勞、視力減退　主婦之友社　300元

・心 想 事 成・品冠編號 65

1. 魔法愛情點心　結城莫拉著　120元
2. 可愛手工飾品　結城莫拉著　120元
3. 可愛打扮 & 髮型　結城莫拉著　120元
4. 撲克牌算命　結城莫拉著　120元

・熱 門 新 知・品冠編號 67

1. 圖解基因與 DNA　（精）　中原英臣 主編　230元
2. 圖解人體的神奇　（精）　米山公啟 主編　230元
3. 圖解腦與心的構造　（精）　永田和哉 主編　230元
4. 圖解科學的神奇　（精）　鳥海光弘 主編　230元
5. 圖解數學的神奇　（精）　柳 谷 晃　著　250元
6. 圖解基因操作　（精）　海老原充 主編　230元
7. 圖解後基因組　（精）　才園哲人　著

・法律專欄連載・大展編號 58

台大法學院　法律學系／策劃
法律服務社／編著

1. 別讓您的權利睡著了(1)　200元
2. 別讓您的權利睡著了(2)　200元

・武 術 特 輯・大展編號 10

1. 陳式太極拳入門　馮志強編著　180元

2. 武式太極拳	郝少如編著	200 元
3. 練功十八法入門	蕭京凌編著	120 元
4. 教門長拳	蕭京凌編著	150 元
5. 跆拳道	蕭京凌編譯	180 元
6. 正傳合氣道	程曉鈴譯	200 元
7. 圖解雙節棍	陳銘遠著	150 元
8. 格鬥空手道	鄭旭旭編著	200 元
9. 實用跆拳道	陳國榮編著	200 元
10. 武術初學指南	李文英、解守德編著	250 元
11. 泰國拳	陳國榮著	180 元
12. 中國式摔跤	黃 斌編著	180 元
13. 太極劍入門	李德印編著	180 元
14. 太極拳運動	運動司編	250 元
15. 太極拳譜	清・王宗岳等著	280 元
16. 散手初學	冷 峰編著	200 元
17. 南拳	朱瑞琪編著	180 元
18. 吳式太極劍	王培生著	200 元
19. 太極拳健身與技擊	王培生著	250 元
20. 秘傳武當八卦掌	狄兆龍著	250 元
21. 太極拳論譚	沈 壽著	250 元
22. 陳式太極拳技擊法	馬 虹著	250 元
23. 二十四式/三十二式太極拳/劍	闞桂香著	180 元
24. 楊式秘傳 129 式太極長拳	張楚全著	280 元
25. 楊式太極拳架詳解	林炳堯著	280 元
26. 華佗五禽劍	劉時榮著	180 元
27. 太極拳基礎講座：基本功與簡化 24 式	李德印著	250 元
28. 武式太極拳精華	薛乃印著	200 元
29. 陳式太極拳拳理闡微	馬 虹著	350 元
30. 陳式太極拳體用全書	馬 虹著	400 元
31. 張三豐太極拳	陳占奎著	200 元
32. 中國太極推手	張 山主編	300 元
33. 48 式太極拳入門	門惠豐編著	220 元
34. 太極拳奇人奇功	嚴翰秀編著	250 元
35. 心意門秘籍	李新民編著	220 元
36. 三才門乾坤戊己功	王培生編著	220 元
37. 武式太極劍精華 +VCD	薛乃印編著	350 元
38. 楊式太極拳	傅鐘文演述	200 元
39. 陳式太極拳、劍 36 式	闞桂香編著	250 元
40. 正宗武式太極拳	薛乃印著	220 元
41. 杜元化＜太極拳正宗＞考析	王海洲等著	300 元
42. ＜珍貴版＞陳式太極拳	沈家楨著	280 元
43. 24 式太極拳＋VCD	中國國家體育總局著	350 元
44. 太極推手絕技	安在峰編著	250 元
45. 孫祿堂武學錄	孫祿堂著	300 元

46.	<珍貴本>陳式太極拳精選	馮志強著	280元
47.	武當趙保太極拳小架	鄭悟清傳授	250元
48.	太極拳習練知識問答	邱丕相主編	220元
49.	八法拳 八法槍	武世俊著	220元

・彩色圖解太極武術・大展編號 102

1.	太極功夫扇	李德印編著	220元
2.	武當太極劍	李德印編著	220元
3.	楊式太極劍	李德印編著	220元
4.	楊式太極刀	王志遠著	220元

・名師出高徒・大展編號 111

1.	武術基本功與基本動作	劉玉萍編著	200元
2.	長拳入門與精進	吳彬　等著	220元
3.	劍術刀術入門與精進	楊柏龍等著	220元
4.	棍術、槍術入門與精進	邱丕相編著	220元
5.	南拳入門與精進	朱瑞琪編著	220元
6.	散手入門與精進	張　山等著	220元
7.	太極拳入門與精進	李德印編著	280元
8.	太極推手入門與精進	田金龍編著	220元

・實用武術技擊・大展編號 112

1.	實用自衛拳法	溫佐惠　著	250元
2.	搏擊術精選	陳清山等著	220元
3.	秘傳防身絕技	程崑彬　著	230元
4.	振藩截拳道入門	陳琦平　著	220元
5.	實用擒拿法	韓建中　著	220元
6.	擒拿反擒拿 88 法	韓建中　著	250元
7.	武當秘門技擊術入門篇	高　翔　著	250元
8.	武當秘門技擊術絕技篇	高　翔　著	250元

・中國武術規定套路・大展編號 113

1.	螳螂拳	中國武術系列	300元
2.	劈掛拳	規定套路編寫組	300元
3.	八極拳	國家體育總局	250元

・中華傳統武術・大展編號 114

1.	中華古今兵械圖考	裴錫榮 主編	280元
2.	武當劍	陳湘陵 編著	200元

3.	梁派八卦掌（老八掌）	李子鳴 遺著	220 元
4.	少林 72 藝與武當 36 功	裴錫榮 主編	230 元
5.	三十六把擒拿	佐藤金兵衛 主編	200 元
6.	武當太極拳與盤手 20 法	裴錫榮 主編	220 元

・少林功夫・大展編號 115

1.	少林打擂秘訣	德虔、素法 編著	300 元
2.	少林三大名拳 炮拳、大洪拳、六合拳	門惠豐 等著	200 元
3.	少林三絕 氣功、點穴、擒拿	德虔 編著	300 元
4.	少林怪兵器秘傳	素法 等著	250 元
5.	少林護身暗器秘傳	素法 等著	220 元
6.	少林金剛硬氣功	楊維 編著	250 元
7.	少林棍法大全	德虔、素法 編著	

・原地太極拳系列・大展編號 11

1.	原地綜合太極拳 24 式	胡啟賢創編	220 元
2.	原地活步太極拳 42 式	胡啟賢創編	200 元
3.	原地簡化太極拳 24 式	胡啟賢創編	200 元
4.	原地太極拳 12 式	胡啟賢創編	200 元
5.	原地青少年太極拳 22 式	胡啟賢創編	200 元

・道學文化・大展編號 12

1.	道在養生：道教長壽術	郝勤 等著	250 元
2.	龍虎丹道：道教內丹術	郝勤 著	300 元
3.	天上人間：道教神仙譜系	黃德海著	250 元
4.	步罡踏斗：道教祭禮儀典	張澤洪著	250 元
5.	道醫窺秘：道教醫學康復術	王慶餘等著	250 元
6.	勸善成仙：道教生命倫理	李 剛著	250 元
7.	洞天福地：道教宮觀勝境	沙銘壽著	250 元
8.	青詞碧簫：道教文學藝術	楊光文等著	250 元
9.	沈博絕麗：道教格言精粹	朱耕發等著	250 元

・易學智慧・大展編號 122

1.	易學與管理	余敦康主編	250 元
2.	易學與養生	劉長林等著	300 元
3.	易學與美學	劉綱紀等著	300 元
4.	易學與科技	董光壁著	280 元
5.	易學與建築	韓增祿著	280 元
6.	易學源流	鄭萬耕著	280 元
7.	易學的思維	傅雲龍等著	250 元

8. 周易與易圖　李　申著　250元
9. 中國佛教與周易　王仲堯著　元

·神　算　大　師·大展編號 123

1. 劉伯溫神算兵法　應　涵編著　280元
2. 姜太公神算兵法　應　涵編著　280元
3. 鬼谷子神算兵法　應　涵編著　280元
4. 諸葛亮神算兵法　應　涵編著　280元

·秘傳占卜系列·大展編號 14

1. 手相術　淺野八郎著　180元
2. 人相術　淺野八郎著　180元
3. 西洋占星術　淺野八郎著　180元
4. 中國神奇占卜　淺野八郎著　150元
5. 夢判斷　淺野八郎著　150元
6. 前世、來世占卜　淺野八郎著　150元
7. 法國式血型學　淺野八郎著　150元
8. 靈感、符咒學　淺野八郎著　150元
9. 紙牌占卜術　淺野八郎著　150元
10. ESP 超能力占卜　淺野八郎著　150元
11. 猶太數的秘術　淺野八郎著　150元
12. 新心理測驗　淺野八郎著　160元
13. 塔羅牌預言秘法　淺野八郎著　200元

·趣味心理講座·大展編號 15

1. 性格測驗（1）探索男與女　淺野八郎著　140元
2. 性格測驗（2）透視人心奧秘　淺野八郎著　140元
3. 性格測驗（3）發現陌生的自己　淺野八郎著　140元
4. 性格測驗（4）發現你的真面目　淺野八郎著　140元
5. 性格測驗（5）讓你們吃驚　淺野八郎著　140元
6. 性格測驗（6）洞穿心理盲點　淺野八郎著　140元
7. 性格測驗（7）探索對方心理　淺野八郎著　140元
8. 性格測驗（8）由吃認識自己　淺野八郎著　160元
9. 性格測驗（9）戀愛知多少　淺野八郎著　160元
10. 性格測驗（10）由裝扮瞭解人心　淺野八郎著　160元
11. 性格測驗（11）敲開內心玄機　淺野八郎著　140元
12. 性格測驗（12）透視你的未來　淺野八郎著　160元
13. 血型與你的一生　淺野八郎著　160元
14. 趣味推理遊戲　淺野八郎著　160元
15. 行為語言解析　淺野八郎著　160元

·婦幼天地·大展編號 16

1.	八萬人減肥成果	黃靜香譯	180 元
2.	三分鐘減肥體操	楊鴻儒譯	150 元
3.	窈窕淑女美髮秘訣	柯素娥譯	130 元
4.	使妳更迷人	成　玉譯	130 元
5.	女性的更年期	官舒妍編譯	160 元
6.	胎內育兒法	李玉瓊編譯	150 元
7.	早產兒袋鼠式護理	唐岱蘭譯	200 元
8.	初次懷孕與生產	婦幼天地編譯組	180 元
9.	初次育兒 12 個月	婦幼天地編譯組	180 元
10.	斷乳食與幼兒食	婦幼天地編譯組	180 元
11.	培養幼兒能力與性向	婦幼天地編譯組	180 元
12.	培養幼兒創造力的玩具與遊戲	婦幼天地編譯組	180 元
13.	幼兒的症狀與疾病	婦幼天地編譯組	180 元
14.	腿部苗條健美法	婦幼天地編譯組	180 元
15.	女性腰痛別忽視	婦幼天地編譯組	150 元
16.	舒展身心體操術	李玉瓊編譯	130 元
17.	三分鐘臉部體操	趙薇妮著	160 元
18.	生動的笑容表情術	趙薇妮著	160 元
19.	心曠神怡減肥法	川津祐介著	130 元
20.	內衣使妳更美麗	陳玄茹譯	130 元
21.	瑜伽美姿美容	黃靜香編著	180 元
22.	高雅女性裝扮學	陳珮玲譯	180 元
23.	蠶糞肌膚美顏法	梨秀子著	160 元
24.	認識妳的身體	李玉瓊譯	160 元
25.	產後恢復苗條體態	居理安·芙萊喬著	200 元
26.	正確護髮美容法	山崎伊久江著	180 元
27.	安琪拉美姿養生學	安琪拉蘭斯博瑞著	180 元
28.	女體性醫學剖析	增田豐著	220 元
29.	懷孕與生產剖析	岡部綾子著	180 元
30.	斷奶後的健康育兒	東城百合子著	220 元
31.	引出孩子幹勁的責罵藝術	多湖輝著	170 元
32.	培養孩子獨立的藝術	多湖輝著	170 元
33.	子宮肌瘤與卵巢囊腫	陳秀琳編著	180 元
34.	下半身減肥法	納他夏·史達賓著	180 元
35.	女性自然美容法	吳雅菁編著	180 元
36.	再也不發胖	池園悅太郎著	170 元
37.	生男生女控制術	中垣勝裕著	220 元
38.	使妳的肌膚更亮麗	楊　皓編著	170 元
39.	臉部輪廓變美	芝崎義夫著	180 元
40.	斑點、皺紋自己治療	高須克彌著	180 元
41.	面皰自己治療	伊藤雄康著	180 元

42. 隨心所欲瘦身冥想法　原久子著　180 元
43. 胎兒革命　鈴木丈織著　180 元
44. NS 磁氣平衡法塑造窈窕奇蹟　古屋和江著　180 元
45. 享瘦從腳開始　山田陽子著　180 元
46. 小改變瘦 4 公斤　宮本裕子著　180 元
47. 軟管減肥瘦身　高橋輝男著　180 元
48. 海藻精神秘美容法　劉名揚編著　180 元
49. 肌膚保養與脫毛　鈴木真理著　180 元
50. 10 天減肥 3 公斤　彤雲編輯組　180 元
51. 穿出自己的品味　西村玲子著　280 元
52. 小孩髮型設計　李芳黛譯　250 元

・青　春　天　地・大展編號 17

1. A 血型與星座　柯素娥編譯　160 元
2. B 血型與星座　柯素娥編譯　160 元
3. O 血型與星座　柯素娥編譯　160 元
4. AB 血型與星座　柯素娥編譯　120 元
5. 青春期性教室　呂貴嵐編譯　130 元
7. 難解數學破題　宋釗宜編譯　130 元
9. 小論文寫作秘訣　林顯茂編譯　120 元
11. 中學生野外遊戲　熊谷康編著　120 元
12. 恐怖極短篇　柯素娥編譯　130 元
13. 恐怖夜話　小毛驢編譯　130 元
14. 恐怖幽默短篇　小毛驢編譯　120 元
15. 黑色幽默短篇　小毛驢編譯　120 元
16. 靈異怪談　小毛驢編譯　130 元
17. 錯覺遊戲　小毛驢編著　130 元
18. 整人遊戲　小毛驢編著　150 元
19. 有趣的超常識　柯素娥編譯　130 元
20. 哦！原來如此　林慶旺編譯　130 元
21. 趣味競賽 100 種　劉名揚編譯　120 元
22. 數學謎題入門　宋釗宜編譯　150 元
23. 數學謎題解析　宋釗宜編譯　150 元
24. 透視男女心理　林慶旺編譯　120 元
25. 少女情懷的自白　李桂蘭編譯　120 元
26. 由兄弟姊妹看命運　李玉瓊編譯　130 元
27. 趣味的科學魔術　林慶旺編譯　150 元
28. 趣味的心理實驗室　李燕玲編譯　150 元
29. 愛與性心理測驗　小毛驢編譯　130 元
30. 刑案推理解謎　小毛驢編譯　180 元
31. 偵探常識推理　小毛驢編譯　180 元
32. 偵探常識解謎　小毛驢編譯　130 元
33. 偵探推理遊戲　小毛驢編譯　180 元

34. 趣味的超魔術	廖玉山編著	150元
35. 趣味的珍奇發明	柯素娥編著	150元
36. 登山用具與技巧	陳瑞菊編著	150元
37. 性的漫談	蘇燕謀編著	180元
38. 無的漫談	蘇燕謀編著	180元
39. 黑色漫談	蘇燕謀編著	180元
40. 白色漫談	蘇燕謀編著	180元

・健 康 天 地・大展編號 18

1. 壓力的預防與治療	柯素娥編譯	130元
2. 超科學氣的魔力	柯素娥編譯	130元
3. 尿療法治病的神奇	中尾良一著	130元
4. 鐵證如山的尿療法奇蹟	廖玉山譯	120元
5. 一日斷食健康法	葉慈容編譯	150元
6. 胃部強健法	陳炳崑譯	120元
7. 癌症早期檢查法	廖松濤譯	160元
8. 老人痴呆症防止法	柯素娥編譯	170元
9. 松葉汁健康飲料	陳麗芬編譯	150元
10. 揉肚臍健康法	永井秋夫著	150元
11. 過勞死、猝死的預防	卓秀貞編譯	130元
12. 高血壓治療與飲食	藤山順豐著	180元
13. 老人看護指南	柯素娥編譯	150元
14. 美容外科淺談	楊啟宏著	150元
15. 美容外科新境界	楊啟宏著	150元
16. 鹽是天然的醫生	西英司郎著	140元
17. 年輕十歲不是夢	梁瑞麟譯	200元
18. 茶料理治百病	桑野和民著	180元
20. 杜仲茶養顏減肥法	西田博著	170元
21. 蜂膠驚人療效	瀨長良三郎著	180元
22. 蜂膠治百病	瀨長良三郎著	180元
23. 醫藥與生活	鄭炳全著	180元
24. 鈣長生寶典	落合敏著	180元
25. 大蒜長生寶典	木下繁太郎著	160元
26. 居家自我健康檢查	石川恭三著	160元
27. 永恆的健康人生	李秀鈴譯	200元
28. 大豆卵磷脂長生寶典	劉雪卿譯	150元
29. 芳香療法	梁艾琳譯	160元
30. 醋長生寶典	柯素娥譯	180元
31. 從星座透視健康	席拉・吉蒂斯著	180元
32. 愉悅自在保健學	野本二士夫著	160元
33. 裸睡健康法	丸山淳士等著	160元
34. 糖尿病預防與治療	藤山順豐著	180元
35. 維他命長生寶典	菅原明子著	180元

36. 維他命C新效果	鐘文訓編	150元
37. 手、腳病理按摩	堤芳朗著	160元
38. AIDS瞭解與預防	彼得塔歇爾著	180元
39. 甲殼質殼聚糖健康法	沈永嘉譯	160元
40. 神經痛預防與治療	木下真男著	160元
41. 室內身體鍛鍊法	陳炳崑編著	160元
42. 吃出健康藥膳	劉大器編著	180元
43. 自我指壓術	蘇燕謀編著	160元
44. 紅蘿蔔汁斷食療法	李玉瓊編著	150元
45. 洗心術健康秘法	竺翠萍編譯	170元
46. 枇杷葉健康療法	柯素娥編譯	180元
47. 抗衰血癒	楊啟宏著	180元
48. 與癌搏鬥記	逸見政孝著	180元
49. 冬蟲夏草長生寶典	高橋義博著	170元
50. 痔瘡・大腸疾病先端療法	宮島伸宜著	180元
51. 膠布治癒頑固慢性病	加瀨建造著	180元
52. 芝麻神奇健康法	小林貞作著	170元
53. 香煙能防止癡呆？	高田明和著	180元
54. 穀菜食治癌療法	佐藤成志著	180元
55. 貼藥健康法	松原英多著	180元
56. 克服癌症調和道呼吸法	帶津良一著	180元
57. B型肝炎預防與治療	野村喜重郎著	180元
58. 青春永駐養生導引術	早島正雄著	180元
59. 改變呼吸法創造健康	原久子著	180元
60. 荷爾蒙平衡養生秘訣	出村博著	180元
61. 水美肌健康法	井戶勝富著	170元
62. 認識食物掌握健康	廖梅珠編著	170元
63. 痛風劇痛消除法	鈴木吉彥著	180元
64. 酸莖菌驚人療效	上田明彥著	180元
65. 大豆卵磷脂治現代病	神津健一著	200元
66. 時辰療法—危險時刻凌晨4時	呂建強等著	180元
67. 自然治癒力提升法	帶津良一著	180元
68. 巧妙的氣保健法	藤平墨子著	180元
69. 治癒C型肝炎	熊田博光著	180元
70. 肝臟病預防與治療	劉名揚編著	180元
71. 腰痛平衡療法	荒井政信著	180元
72. 根治多汗症、狐臭	稻葉益巳著	220元
73. 40歲以後的骨質疏鬆症	沈永嘉譯	180元
74. 認識中藥	松下一成著	180元
75. 認識氣的科學	佐佐木茂美著	180元
76. 我戰勝了癌症	安田伸著	180元
77. 斑點是身心的危險信號	中野進著	180元
78. 艾波拉病毒大震撼	玉川重德著	180元
79. 重新還我黑髮	桑名隆一郎著	180元

80. 身體節律與健康	林博史著	180 元
81. 生薑治萬病	石原結實著	180 元
83. 木炭驚人的威力	大槻彰著	200 元
84. 認識活性氧	井土貴司著	180 元
85. 深海鮫治百病	廖玉山編著	180 元
86. 神奇的蜂王乳	井上丹治著	180 元
87. 卡拉 OK 健腦法	東潔著	180 元
88. 卡拉 OK 健康法	福田伴男著	180 元
89. 醫藥與生活	鄭炳全著	200 元
90. 洋蔥治百病	宮尾興平著	180 元
91. 年輕 10 歲快步健康法	石塚忠雄著	180 元
92. 石榴的驚人神效	岡本順子著	180 元
93. 飲料健康法	白鳥早奈英著	180 元
94. 健康棒體操	劉名揚編譯	180 元
95. 催眠健康法	蕭京凌編著	180 元
96. 鬱金（美王）治百病	水野修一著	180 元
97. 醫藥與生活	鄭炳全著	200 元

・實用女性學講座・大展編號 19

1. 解讀女性內心世界	島田一男著	150 元
2. 塑造成熟的女性	島田一男著	150 元
3. 女性整體裝扮學	黃靜香編著	180 元
4. 女性應對禮儀	黃靜香編著	180 元
5. 女性婚前必修	小野十傳著	200 元
6. 徹底瞭解女人	田口二州著	180 元
7. 拆穿女性謊言 88 招	島田一男著	200 元
8. 解讀女人心	島田一男著	200 元
9. 俘獲女性絕招	志賀貢著	200 元
10. 愛情的壓力解套	中村理英子著	200 元
11. 妳是人見人愛的女孩	廖松濤編著	200 元

・校 園 系 列・大展編號 20

1. 讀書集中術	多湖輝著	180 元
2. 應考的訣竅	多湖輝著	150 元
3. 輕鬆讀書贏得聯考	多湖輝著	180 元
4. 讀書記憶秘訣	多湖輝著	180 元
5. 視力恢復！超速讀術	江錦雲譯	180 元
6. 讀書 36 計	黃柏松編著	180 元
7. 驚人的速讀術	鐘文訓編著	170 元
8. 學生課業輔導良方	多湖輝著	180 元
9. 超速讀超記憶法	廖松濤編著	180 元
10. 速算解題技巧	宋釗宜編著	200 元

11. 看圖學英文　陳炳崑編著　200元
12. 讓孩子最喜歡數學　沈永嘉譯　180元
13. 催眠記憶術　林碧清譯　180元
14. 催眠速讀術　林碧清譯　180元
15. 數學式思考學習法　劉淑錦譯　200元
16. 考試憑要領　劉孝暉著　180元
17. 事半功倍讀書法　王毅希著　200元
18. 超金榜題名術　陳蒼杰譯　200元
19. 靈活記憶術　林耀慶編著　180元
20. 數學增強要領　江修楨編著　180元
21. 使頭腦靈活的數學　逢澤明著　200元
22. 難解數學破題　宋釗宜著　200元

・實用心理學講座・大展編號 21

1. 拆穿欺騙伎倆　多湖輝著　140元
2. 創造好構想　多湖輝著　140元
3. 面對面心理術　多湖輝著　160元
4. 偽裝心理術　多湖輝著　140元
5. 透視人性弱點　多湖輝著　180元
6. 自我表現術　多湖輝著　180元
7. 不可思議的人性心理　多湖輝著　180元
8. 催眠術入門　多湖輝著　150元
9. 責罵部屬的藝術　多湖輝著　150元
10. 精神力　多湖輝著　150元
11. 厚黑說服術　多湖輝著　150元
12. 集中力　多湖輝著　150元
13. 構想力　多湖輝著　150元
14. 深層心理術　多湖輝著　160元
15. 深層語言術　多湖輝著　160元
16. 深層說服術　多湖輝著　180元
17. 掌握潛在心理　多湖輝著　160元
18. 洞悉心理陷阱　多湖輝著　180元
19. 解讀金錢心理　多湖輝著　180元
20. 拆穿語言圈套　多湖輝著　180元
21. 語言的內心玄機　多湖輝著　180元
22. 積極力　多湖輝著　180元

・超現實心靈講座・大展編號 22

1. 超意識覺醒法　詹蔚芬編譯　130元
2. 護摩秘法與人生　劉名揚編譯　130元
3. 秘法！超級仙術入門　陸明譯　150元
4. 給地球人的訊息　柯素娥編著　150元

5.	密教的神通力	劉名揚編著	130 元
6.	神秘奇妙的世界	平川陽一著	200 元
7.	地球文明的超革命	吳秋嬌譯	200 元
8.	力量石的秘密	吳秋嬌譯	180 元
9.	超能力的靈異世界	馬小莉譯	200 元
10.	逃離地球毀滅的命運	吳秋嬌譯	200 元
11.	宇宙與地球終結之謎	南山宏著	200 元
12.	驚世奇功揭秘	傅起鳳著	200 元
13.	啟發身心潛力心象訓練法	栗田昌裕著	180 元
14.	仙道術遁甲法	高藤聰一郎著	220 元
15.	神通力的秘密	中岡俊哉著	180 元
16.	仙人成仙術	高藤聰一郎著	200 元
17.	仙道符咒氣功法	高藤聰一郎著	220 元
18.	仙道風水術尋龍法	高藤聰一郎著	200 元
19.	仙道奇蹟超幻像	高藤聰一郎著	200 元
20.	仙道鍊金術房中法	高藤聰一郎著	200 元
21.	奇蹟超醫療治癒難病	深野一幸著	220 元
22.	揭開月球的神秘力量	超科學研究會	180 元
23.	西藏密教奧義	高藤聰一郎著	250 元
24.	改變你的夢術入門	高藤聰一郎著	250 元
25.	21 世紀拯救地球超技術	深野一幸著	250 元

・養 生 保 健・大展編號 23

1.	醫療養生氣功	黃孝寬著	250 元
2.	中國氣功圖譜	余功保著	250 元
3.	少林醫療氣功精粹	井玉蘭著	250 元
4.	龍形實用氣功	吳大才等著	220 元
5.	魚戲增視強身氣功	宮 嬰著	220 元
6.	嚴新氣功	前新培金著	250 元
7.	道家玄牝氣功	張 章著	200 元
8.	仙家秘傳袪病功	李遠國著	160 元
9.	少林十大健身功	秦慶豐著	180 元
10.	中國自控氣功	張明武著	250 元
11.	醫療防癌氣功	黃孝寬著	250 元
12.	醫療強身氣功	黃孝寬著	250 元
13.	醫療點穴氣功	黃孝寬著	250 元
14.	中國八卦如意功	趙維漢著	180 元
15.	正宗馬禮堂養氣功	馬禮堂著	420 元
16.	秘傳道家筋經內丹功	王慶餘著	300 元
17.	三元開慧功	辛桂林著	250 元
18.	防癌治癌新氣功	郭 林著	180 元
19.	禪定與佛家氣功修煉	劉天君著	200 元
20.	顛倒之術	梅自強著	360 元

21. 簡明氣功辭典	吳家駿編	360 元
22. 八卦三合功	張全亮著	230 元
23. 朱砂掌健身養生功	楊永著	250 元
24. 抗老功	陳九鶴著	230 元
25. 意氣按穴排濁自療法	黃啟運編著	250 元
26. 陳式太極拳養生功	陳正雷著	200 元
27. 健身祛病小功法	王培生著	200 元
28. 張式太極混元功	張春銘著	250 元
29. 中國璇密功	羅琴編著	250 元
30. 中國少林禪密功	齊飛龍著	200 元
31. 郭林新氣功	郭林新氣功研究所	400 元
32. 太極 八卦之源與健身養生	鄭志鴻等著	280 元

・社會人智囊・大展編號 24

1. 糾紛談判術	清水增三著	160 元
2. 創造關鍵術	淺野八郎著	150 元
3. 觀人術	淺野八郎著	200 元
4. 應急詭辯術	廖英迪編著	160 元
5. 天才家學習術	木原武一著	160 元
6. 貓型狗式鑑人術	淺野八郎著	180 元
7. 逆轉運掌握術	淺野八郎著	180 元
8. 人際圓融術	澀谷昌三著	160 元
9. 解讀人心術	淺野八郎著	180 元
10. 與上司水乳交融術	秋元隆司著	180 元
11. 男女心態定律	小田晉著	180 元
12. 幽默說話術	林振輝編著	200 元
13. 人能信賴幾分	淺野八郎著	180 元
14. 我一定能成功	李玉瓊譯	180 元
15. 獻給青年的嘉言	陳蒼杰譯	180 元
16. 知人、知面、知其心	林振輝編著	180 元
17. 塑造堅強的個性	坂上肇著	180 元
18. 為自己而活	佐藤綾子著	180 元
19. 未來十年與愉快生活有約	船井幸雄著	180 元
20. 超級銷售話術	杜秀卿譯	180 元
21. 感性培育術	黃靜香編著	180 元
22. 公司新鮮人的禮儀規範	蔡媛惠譯	180 元
23. 傑出職員鍛鍊術	佐佐木正著	180 元
24. 面談獲勝戰略	李芳黛譯	180 元
25. 金玉良言撼人心	森純大著	180 元
26. 男女幽默趣典	劉華亭編著	180 元
27. 機智說話術	劉華亭編著	180 元
28. 心理諮商室	柯素娥譯	180 元
29. 如何在公司崢嶸頭角	佐佐木正著	180 元

30. 機智應對術	李玉瓊編著	200 元
31. 克服低潮良方	坂野雄二著	180 元
32. 智慧型說話技巧	沈永嘉編著	180 元
33. 記憶力、集中力增進術	廖松濤編著	180 元
34. 女職員培育術	林慶旺編著	180 元
35. 自我介紹與社交禮儀	柯素娥編著	180 元
36. 積極生活創幸福	田中真澄著	180 元
37. 妙點子超構想	多湖輝著	180 元
38. 說 NO 的技巧	廖玉山編著	180 元
39. 一流說服力	李玉瓊編著	180 元
40. 般若心經成功哲學	陳鴻蘭編著	180 元
41. 訪問推銷術	黃靜香編著	180 元
42. 男性成功秘訣	陳蒼杰編著	180 元
43. 笑容、人際智商	宮川澄子著	180 元
44. 多湖輝的構想工作室	多湖輝著	200 元
45. 名人名語啟示錄	喬家楓著	180 元
46. 口才必勝術	黃柏松編著	220 元
47. 能言善道的說話秘訣	章智冠編著	180 元
48. 改變人心成為贏家	多湖輝著	200 元
49. 說服的ＩＱ	沈永嘉譯	200 元
50. 提升腦力超速讀術	齊藤英治著	200 元
51. 操控對手百戰百勝	多湖輝著	200 元
52. 面試成功戰略	柯素娥編著	200 元
53. 摸透男人心	劉華亭編著	180 元
54. 撼動人心優勢口才	龔伯牧編著	180 元
55. 如何使對方說 yes	程　羲編著	200 元
56. 小道理・美好生活	林政峰編著	180 元
57. 拿破崙智慧箴言	柯素娥編著	200 元
58. 解開第六感之謎	匠英一編著	200 元
59. 讀心術入門	王嘉成編著	180 元
60. 這趟人生怎麼走	李亦盛編著	200 元
61. 這趟人生無限好	李亦盛編著	200 元

・精　選　系　列・大展編號 25

1. 毛澤東與鄧小平	渡邊利夫等著	280 元
2. 中國大崩裂	江戶介雄著	180 元
3. 台灣・亞洲奇蹟	上村幸治著	220 元
4. 7-ELEVEN 高盈收策略	國友隆一著	180 元
5. 台灣獨立（新・中國日本戰爭一）	森詠著	200 元
6. 迷失中國的末路	江戶雄介著	220 元
7. 2000 年 5 月全世界毀滅	紫藤甲子男著	180 元
8. 失去鄧小平的中國	小島朋之著	220 元
9. 世界史爭議性異人傳	桐生操著	200 元

10. 淨化心靈享人生　松濤弘道著　220元
11. 人生心情診斷　賴藤和寬著　220元
12. 中美大決戰　檜山良昭著　220元
13. 黃昏帝國美國　莊雯琳譯　220元
14. 兩岸衝突（新・中國日本戰爭二）　森詠著　220元
15. 封鎖台灣（新・中國日本戰爭三）　森詠著　220元
16. 中國分裂（新・中國日本戰爭四）　森詠著　220元
17. 由女變男的我　虎井正衛著　200元
18. 佛學的安心立命　松濤弘道著　220元
19. 世界喪禮大觀　松濤弘道著　280元
20. 中國內戰（新・中國日本戰爭五）　森詠著　220元
21. 台灣內亂（新・中國日本戰爭六）　森詠著　220元
22. 琉球戰爭①（新・中國日本戰爭七）　森詠著　220元
23. 琉球戰爭②（新・中國日本戰爭八）　森詠著　220元
24. 台海戰爭（新・中國日本戰爭九）　森詠著　220元
25. 美中開戰（新・中國日本戰爭十）　森詠著　220元
26. 東海戰爭①（新・中國日本戰爭十一）森詠著　220元
27. 東海戰爭②（新・中國日本戰爭十二）森詠著　220元

・運動遊戲・大展編號 26

1. 雙人運動　李玉瓊譯　160元
2. 愉快的跳繩運動　廖玉山譯　180元
3. 運動會項目精選　王佑京譯　150元
4. 肋木運動　廖玉山譯　150元
5. 測力運動　王佑宗譯　150元
6. 游泳入門　唐桂萍編著　200元
7. 帆板衝浪　王勝利譯　300元
8. 蛙泳七日通　溫仲華編著　180元
9. 中老年人游泳指導　溫仲華著　180元
10. 爬泳(自由式)技術與練習　吳河海著　180元
11. 仰泳技術與練習　吳河海著　180元
12. 蝶泳技術與練習　吳河海著　180元
20. 乒乓球發球與接發球　張良西著　200元
21. 乒乓球雙打　李浩松著　180元
22. 乒乓球削球　王蒲主編　220元
23. 乒乓球打法與戰術　岳海鵬編著　220元
24. 乒乓球步法的技巧　張博著

・休閒娛樂・大展編號 27

1. 海水魚飼養法　田中智浩著　300元
2. 金魚飼養法　曾雪玫譯　250元
3. 熱門海水魚　毛利匡明著　480元

4. 愛犬的教養與訓練　池田好雄著　250 元
5. 狗教養與疾病　杉浦哲著　220 元
6. 小動物養育技巧　三上昇著　300 元
7. 水草選擇、培育、消遣　安齊裕司著　300 元
8. 四季釣魚法　釣朋會著　200 元
9. 簡易釣魚入門　張果馨譯　200 元
10. 防波提釣入門　張果馨譯　220 元
11. 透析愛犬習性　沈永嘉譯　200 元
20. 園藝植物管理　船越亮二著　220 元
21. 實用家庭菜園ＤＩＹ　孔翔儀著　200 元
30. 汽車急救ＤＩＹ　陳瑞雄編著　200 元
31. 巴士旅行遊戲　陳羲編著　180 元
32. 測驗你的ＩＱ　蕭京凌編著　180 元
33. 益智數字遊戲　廖玉山編著　180 元
40. 撲克牌遊戲與贏牌秘訣　林振輝編著　180 元
41. 撲克牌魔術、算命、遊戲　林振輝編著　180 元
42. 撲克占卜入門　王家成編著　180 元
50. 兩性幽默　幽默選集編輯組　180 元
51. 異色幽默　幽默選集編輯組　180 元
52. 幽默魔法鏡　玄虛叟編著　180 元
53. 幽默樂透站　玄虛叟編著　180 元
70. 亞洲真實恐怖事件　楊鴻儒譯　200 元

・銀髮族智慧學・大展編號 28

1. 銀髮六十樂逍遙　多湖輝著　170 元
2. 人生六十反年輕　多湖輝著　170 元
3. 六十歲的決斷　多湖輝著　170 元
4. 銀髮族健身指南　孫瑞台編著　250 元
5. 退休後的夫妻健康生活　施聖茹譯　200 元

・飲　食　保　健・大展編號 29

1. 自己製作健康茶　大海淳著　220 元
2. 好吃、具藥效茶料理　德永睦子著　220 元
3. 改善慢性病健康藥草茶　吳秋嬌譯　200 元
4. 藥酒與健康果菜汁　成玉編著　250 元
5. 家庭保健養生湯　馬汴梁編著　220 元
6. 降低膽固醇的飲食　早川和志著　200 元
7. 女性癌症的飲食　女子營養大學　280 元
8. 痛風者的飲食　女子營養大學　280 元
9. 貧血者的飲食　女子營養大學　280 元
10. 高脂血症者的飲食　女子營養大學　280 元
11. 男性癌症的飲食　女子營養大學　280 元

國家圖書館出版品預行編目資料

提升腦力超速讀術 / 齊藤英治著；劉小惠、李玉瓊譯
－初版－臺北市，大展，1999【民 88】
面 ； 21 公分 －（社會人智囊；50）
譯自：「腦力」アップ超速讀術
ISBN 957-557-946-1（平裝）
1. 閱讀法
019.1 88011081

提升腦力超速讀術

ISBN 957-557-946-1

原 著 者／齊藤英治
翻 譯 者／劉小惠、李玉瓊
發 行 人／蔡 森 明
出 版 者／大展出版社有限公司
社　　址／台北市北投區（石牌）致遠一路 2 段 12 巷 1 號
電　　話／（02）28236031・28236033・28233123
傳　　真／（02）28272069
郵政劃撥／01669551
網　　址／www.dah-jaan.com.tw
E - mail／dah_jaan@pchome.com.tw
登 記 證／局版臺業字第 2171 號
承 印 者／高星印刷品行
裝　　訂／協億印製廠股份有限公司
排 版 者／弘益電腦排版有限公司
初版 1 刷／1999 年（民 88 年）9 月
初版 2 刷／2003 年（民 92 年）9 月

定價／200 元

一億人閱讀的暢銷書！

4 ～ 26 集　定價300元　特價230元

4.大金塊　5.青銅魔人　6.地底魔術王　7.透明怪人　8.怪人四十面相　9.宇宙怪人

恐怖的鐵塔王國　11.灰色巨人　12.海底魔術師　13.黃金豹　14.魔法博士　15.馬戲怪人

.魔人銅鑼　17.魔法人偶　18.奇面城的秘密　19.夜光人　20.塔上的魔術師　21.鐵人Q

.假面恐怖王　23.電人M　24.二十面相的詛咒　25.飛天二十面相　26.黃金怪獸

品冠文化出版社
地址：臺北市北投區
致遠一路二段十二巷一號
電話：〈02〉28233123
郵政劃撥：19346241